JN046221

言語の類型的特徴対照研究会論集

言語の類型的特徴対照研究会（編）

第 5 号

日中言語文化出版社

目　次
CONTENTS

Formosan languages における進行相と所在述語文との相関関係について
On the correlation between the progressive expressions and locative predicates in Formosan languages

張麟声（アモイ大学嘉庚学院）

Linsheng ZHANG (Xiamen University Tan Kah Kee College)

要　旨

本稿では，台湾で話される Formosan languages のうちの 10 を用いて張麟声(2022)の仮説を検証し，次のように修正した。

「所在述語文において，動詞が明示的に用いられる言語であれば，その動詞が文法化して進行相を作り上げる。一方，明示的に用いられない言語で，進行相を作り上げる需要が出てくると，所在述語文に用いられる動詞の代わりに，移動述語文に用いられる動詞や，reduplication などの手段が活用されることになる。」

キーワード： 進行相，所在述語文，reduplication，文法化

1　はじめに

　なぜ言語によって，Location&be+Nonfinite form，または Movement が文法化して進行相の語彙的ソースになるのかというのは Bybee et al.(1994)に残された課題である。張麟声(2022)では，その課題を解くために，差し当たって手が届く言語を以下のように 5 タイプに分けて分析を行った。

single split-language（一重分裂言語）：日本語など。

double split-language（二重分裂言語）：中国語など。

overt share-language（明示的シェア言語）：英語など。

transitive & intransitive prominent covert intransitive type share-language（他動&自動卓越非明示的シェア言語）：トルコ語など。

perfective & imperfective prominent covert share-language（完結&非完結卓越非

1

明示的シェア言語）：ロシア語など。

その結果，「所在述語文において，動詞が明示的に用いられる言語であれば，その動詞が文法化して進行相を作り上げ，明示的に用いられない言語で，進行相を作り上げる需要が出てくると，所在述語文に用いられる動詞の代わりに，移動述語文に用いられる動詞が文法化していく」という仮説を打ち出した。本稿では，台湾で話される Formosan languages を用いてこの仮説を検証し，修正する。

台湾で話される Formosan languages は現在 16 とされ，2018 年から原住民族委員会から 16 言語からなる「台湾南島語言叢書」が出版されている。だが，本稿では，以下の 10 言語だけを考察の対象とする。

Amis/阿美(central)，Atayal/泰雅(Maynnax)，Bunun/布农(Isbukun)，Kavalan/格玛兰(Hsinshe), SaySiyat/赛夏(Tunho), Seediq/赛德克(Parun and Truku), Paiwan/排湾(Northern)，Puyuma/卑南(Nanwang)，Rukai/鲁凯(Mantaurun and Lanbuan)，Taou/邹(Tfuya)

考察の対象をこのように限定したのは，正面から所在述語文の構造に言及した Zeitoun, Elizabeth et al.(1999) *Existential, possessive and locative constructions in the Formosan languages* が，上述の 10 言語のみ取り扱っているからである。16 言語からなる「台湾南島語言叢書」は刊行されているものの，言語の所在述語文については，必ずしも適切な用例を添えて記述されているとは限らず，また，その文頭に来る exist の性格について必ずしも十分に分析がなされているとは言えないために，その「台湾南島語言叢書」以外に，もう一種の，比較して確認できるデータが必要となってくる。そして，それが Zeitoun, Elizabeth et al.(1999) と決まれば，考察できる言語数も 10 種類と限られてくるからである。

本研究の手順としては，まず「台湾南島語言叢書」の共通項目である第 6 章「焦点系统与动貌体制（焦点＝ヴォイスと TAM システム）」に基づいて，10 言語を進行相が生起しているグループと生起していないグループとに振り分

ける。続いて，進行相が生起している言語に関しては，その言語の所在述語文に動詞が用いられているかどうかをチェックし，動詞が用いられている場合は，進行相のマーカーがその動詞と一致するグループと一致しないグループとに，言語を二分する。そのうえ，動詞が用いられていない言語については，その進行相がどのように表現されているかを記述する。

　このように整理すると，10 言語は究極のところ，以下の，下線を引く 4 ケースのいずれかに入ると想定できる。

I　進行相が生起していないケース

II　進行相が生起しているケース

II-1　進行相が生起し，且つ，所在述語文に動詞が用いられている言語

II-1-1 進行相マーカーが当該言語の所在述語文に用いられている動詞と一致するケース

II-1-2 進行相マーカーが当該言語の所在述語文に用いられている動詞と一致しないケース

II-2　進行相が生起しているが，所在述語文に動詞が用いられていない言語

　4 ケースの 1 つ目である「I　進行相が生起していないケース」，及び 2 つ目である「II-1-1 進行相マーカーが当該言語の所在述語文に用いられている動詞と一致するケース」については，張麟声 (2022) の仮説に違反しないので，記述は一通りするが，とりたてて議論することはない。本稿の主な関心は，「II-1-2 進行相マーカーが当該言語の所在述語文に用いられている動詞と一致しないケース」と「II-2　進行相が生起しているが，所在述語文に動詞が用いられていない言語」という 2 ケースにある。

　本稿の構成は以下の通りである。

　第 2 節では，Formosan languages の研究に際して必要な概念を導入し，第 3 節では「I　進行相が生起していないケース」及び「II-1-1 進行相マーカーが当該言語の所在述語文に用いられている動詞と一致するケース」の言語について簡潔に記述する。そして，第 4 節では，「II-1-2 進行相マーカーが当該言語の所在述語文に用いられている動詞と一致しないケース」について分析し，従来の仮説の正当性を問う。第 5 節では，「II-2　進行相が生起しているが，

所在述語文に動詞が用いられていない言語」の進行相のマーカーの性格を分析し，仮説の修正に繋がる部分を確定する。そして，最後の第6節において，考察の対象とする10言語を俯瞰的にとらえ，仮説の改善を図り，今後の課題を定める。

2　必要な概念3組

2.1　焦点(=ヴォイス)システムについて

　ここで言う焦点は，VSO型オーストロネシア語族言語研究上たいへん重要な概念で，大上正直(1994)では，文の中で話題の中心は何であるかを示すことを言うというようにとらえられている(p.97)。話題の中心が何であるかによって，文中の名詞句の表示とともに動詞の形が活用するので，一種のヴォイス的な現象だととらえたほうが分かりやすい。

　ヴォイスと言えば，典型的には能動対受動という対立を想起するが，VSO型オーストロネシア語族言語の焦点の数は比べ物にならないほど多い。例えば，大上正直(1994)によれば，フィリピノ語には，行為者焦点，対象焦点，方向焦点，場所焦点，受益者焦点，手段焦点，理由・原因焦点など7つもある(pp.97-99)。ただし，Formosan languages にはそれほど多くなく，大概4つか5つである。一方，焦点がどれだけ多いかは，行為者焦点以外の焦点がどこまで細かく分かれているかという性格の現象で，行為者焦点を持たない言語はない。したがって，進行相のあり方を追求している本稿では，他の焦点構文についてはとりあえず不問とし，以下，特別に修飾語をつけない限り，進行相が生起しているかどうかを問題にするときには，行為者焦点動詞においてのことを指す。

　ちなみに，Zeitoun, Elizabeth et al.(1999)で，行為者焦点をAFで表示しているので，本稿でも踏襲する。

2.2　リアリティ(reality)について

　VSO型オーストロネシア語族言語の動詞を記述するのにリアリティ(reality)という概念が必要である。リアリティ(reality)という用語は，亀井孝・河野六郎・千野栄一編著（1995）で直接扱われていないが，その2つの

構成成分である realis と irrealis は、「既然法と未然法」と称して、項目を立てて解説が施されている。本稿にとっては、動詞の進行相を考察するためのたいへん重要な枠組みになるので、以下、少し長く引用する。

　印欧語における時称 (tense) に対応する概念を想定するのが不適当と考えられる言語は、世界に数多い。オーストロネシア語族に属する諸言語においても、そのことは、たとえば、ホンダ (J. Gonda, 1954, pp.240-262) などに指摘されている。
　フィリピンや台湾の高砂族諸語では、たとえ時称として記述されていても、実は多くの場合そうではなく、動詞の語構成から見ても、〈表〉のように、2つの相 (aspect) と 2 つの法 (mode) の組み合わせによって、ほぼ印欧語における時称あるいは法に相当する概念を表していると考えられる。
　既然法 (realis) は、その動作がすでに行われている、あるいは、行われたことを表し、未然法 (irrealis) は、その動作がまだ行われていないことを表す。点相 (punctual) は、その動作が時間の流れのある一点で行われることを表わし、継続相 (durative) は、その動作が時間の流れの中で、ある幅をもって行われることを表す。したがって、既然法の点相は、その動作ないし出来事が、時間の流れのある一点で、現実に起こったものとしてとらえる見方であり、つまり、過去あるいは完了を表す (nagbukas「開けた」)。それに対して、既然法の継続相は、その動作ないし出来事が、時間の流れの中で、ある幅をもって現実に起こったものとしてとらえられる。したがって、現在あるいは過去に進行中であることを表したり、あるいは、一般的に言う場合に用いられる (nagbubukas「開ける、あけている/いた」)。一方、未然法の点相は、その動作ないし出来事が、時間の流れの一点で、将来起こるものとしてとらえられる。それに対し未然法の継続相は、その動作ないし出来事が、時間の流れの中で、将来起こるものとしてとらえられる。ただし、「時間の中のある幅をもって」とはいうものの、未来における進行状態を表すのではなく、「未来のいつのことか分からないが、いつか」を表す。

〈表〉

相（Aspect）法（Mood）	既然法（Realis）	未然法（Irrealis）
点相 （Punctual） 例：bukas「開く」	過去/完了 （Past/Perfective） nagbukas「開けた」	命令 （Imperative）mugbukas 「開ける」「開けろ」
継続相 （Durative）	進行/未完了 （Progressive/Inperfective） nagbubukas 「開ける，開けている/いた」	未来 （Future） magbubukas 「開けるだろう/開けな さい」

注：例はタガログ語。

（亀井孝・河野六郎・千野栄一編著 1995:268）

　このように，亀井孝・河野六郎・千野栄一編著(1995)では，realis と irrealis からなるリアリティ(reality)は法(Mood)とされているが，言語学の基本的な概念である法(Mood)の伝統的な定義に合っているとは思わない。伝統的に法は「直説法indictive」，「接続法subjunctive」，「希求法optative」，「命令法imperative」の 4 つに分かれ，命題に対する話し手の気持ちを表す動詞の形態的形式を指すが，realis と irrealis はそのようなレベルのものではない。私見では，リアリティ(reality)は世界の言語に少なくとも 2 つは存在する「アスペクト」体系の中の一つなのである。つまり，従来よく言われている perfective 対 imperfective というアスペクトの体系に対して，リアリティ(reality)は realis 対 irrealis という体系を持つアスペクトなのである。なぜ2種類のアスペクトの体系が必要かと言われそうだが，必要というよりも，自然言語の構成から見て，そのように少なくとも 2 つの枠組みが見えてくるのである。

　従来の perfective 対 imperfective というアスペクトの枠組みでは，進行相は

imperfective の下位分類になるが，この realis 対 irrealis の枠組みでは，進行相は irrealis ではなく，realis に入っている。上述の「台湾南島語言叢書」に，時々 perfective 対 imperfective というというとらえ方を混ぜているのも見かけるが，基本的には realis 対 irrealis という枠組みで書かれており，本稿ではこの枠組みをとりたてて重視する必要がある。

　つまり，本稿で言う専用の進行相を判断する基準は，上述の Realis（＝行為者焦点動詞）が点相と継続相に分化されているかどうかということであり，分化されていれば、専用の進行相のマーカーが存在すると見る。

2.3　接辞，reduplication，「助動詞」について

　本稿で取り扱う 10 言語において，realis と irrealis の諸相を表す文法的手段に，接辞，reduplication と「助動詞」がある。

　上述の通り，一焦点動詞としての行為者焦点動詞も，そもそも語幹に行為者焦点接辞がついてできたものだが，この節で言う接辞は，そのような接辞とは違い，realis と irrealis の具体的な局面を表しわけるために用いられるものである。Formosan languages における行為者焦点動詞は realis や irrealis に関して完全に無標な場合もあるが，どちらかというと，realis の領域だけをその行為者焦点動詞がカバーすることが多い。その行為者焦点動詞がカバーする realis が，点相と継続相に分化していく際に，接辞が用いられることがあり，この節で言う接辞はこのレベルのものである。

　このレベルの接辞は，行為者焦点動詞に付き，行為者焦点動詞の形を変えて機能するが，この意味で reduplication と似ているととらえてよい。つまり，変え方は違うが，接辞も reduplication も，行為者焦点動詞の形を変えて機能するのである。ちなみに，reduplication は形態的に何種類かに分かれるが，本稿では細分しない。

　一方，このような接辞と reduplication に対して，「助動詞」は違うふるまい方をする。行為者焦点動詞の形を変えるのではなく，その前に別個の自由形態素として加えられるのが「助動詞」なのである。ちなみに，「助動詞」という術語は黄金美，呉新生（2018）から借りて使っており，どこまで定着しているかが分からないから，括弧つきにして使うことにする。

3　張麟声(2022)の仮説と拮抗しない 2 ケースについて

　この節では，張麟声(2022)の仮説と拮抗しない 2.1 進行相が生起していないケースと 2.2 進行相マーカーが当該言語の所在述語文に用いられている動詞と一致するケースについて，検討する。

3.1　進行相が生起していないケース：

　このケースにはまず Amis（阿美）が入る。Zeitoun, Elizabeth et al.(1999) によれば，Amis(阿美)の存在述語文，所有述語文，所在述語文は次のようにいずれも exist の意の Ira が文頭に来るという。

（1）a. **Ira**　　ku　　wawa　　i　　　pa-putal
　　　　　exist　　NOM　　child　　PREP　　RED-outside
　　　　　'There is/are a child/children outside.'

　　　b. **Ira**　　ku　　paysu　　nira
　　　　　exist　　NOM　　money　　3s.GEN
　　　　　　'He has　money.'

　　　c. **Ira**　　ci　　panay　　i　　　luma.
　　　　　exist　　NOM　　Panay　　PREP　　house
　　　　　　'Panay is at home.'

(Zeitoun, Elizabeth et al.1999:3)

　一方，呉静蘭(2018)では，前置詞の i で始まる所在述語文も見られるとされ，以下の例（2）を含む 3 例があげられている。ちなみに，呉静蘭(2018)を含む「台湾南島語言叢書」の注釈は中国語で行われているが，本稿で引用するにあたり，筆者の責任で英語バージョンに直すことにした。

（2）　i　ka-wili　no　loma'　ko　　cawka　　niira.
　　　　PREP LOC-left GEN house NOM　　kitchen　　3s.GEN
　　　　'The kitchen of the house is on the left side of the house.'

（呉静蘭 2018：77）

　そして，この言語の realis を表すのに，行為者焦点動詞本来の接頭辞の na-

に加えて，接尾辞の-ay が用いられているが，両者の役割は以下の引用の通り，どちらも進行相専用だとは言えない。即ち，この言語では，進行相が生まれていないのである。

「前缀 na-表示过去已发生的事件，也可以表示相对的过去。后缀-ay 表实现语气，用以表示已发生的事件，可能是正在进行或已过去。(接頭辞 na-は過去に起きたことを表し，とりわけ発話時以外の基準時にとっての過去，つまり相対的過去を表す。接尾辞-ay はリアリティ型モダリティのマーカーで，起きたことを表す。起きたことには現在進行の場合とすでに終了した場合とが含まれる。)」

(呉静蘭 2018:71)

また，次の引用のように，この言語では，reduplication は irrealis を表わすのに用いられている。

「阿美语利用动词的 Ca 重叠来表示事件的非实现语气，及未来才会发生或从未发生的事件，〈略〉。(Amis(阿美)は動詞の Ca 重複を利用して irrealis，即ちこれから発生する，あるいは今まで発生することがなかった出来事を表わす)」

(呉静蘭 2018:72)

Amis(阿美)と並んで、進行相がまだ生起していないもう一つの言語は Taou(邹)である。Zeitoun, Elizabeth et al.(1999) によれば，Taou(邹)の存在述語文，所有述語文は，次の例(3)のように pan が文頭に来るという構文になるが，所在述語文は次の例(4)のように，「いる」という意味の動詞である eon の行為者焦点動詞の Mo eon が文頭に来るという。

(3) a. Pan to oko ne emoo
　　　 exist OBL child OBL house
　　　 'There is a child in the house. '

　　 b. Pan to peisu-si
　　　 exist OBL money-3s.GEN
　　　 'He has money.'

9

（4）　mo　　eon　　to　　emoo　　ʔo　　avʔu
　　　　AF　　be.at　OBL　house　NOM　dog
　　　　'The　dog　is　in　the　house.'

(Zeitoun, Elizabeth et al.1999:8)

　存在述語文，所有述語文の文頭に来る動詞と異なる本格的な動詞が所在述語文の文頭に表れていれば，この言語では，中国語の「有」に当たる動詞だけではなく，中国語の「在」に相当する動詞も生まれていると考えられる。そうならば，その「在」に相当する eon は進行相のマーカーとして文法化してもよさそうだが，張永利，潘家荣(2018:57-62)によれば，この言語の行為者焦点動詞は，接頭辞の mi-, mo, moh-, moso が付く realis を表すグループと，接頭辞の te, ta, tena がつく irrealis を表わすグループとに分かれ，前者のグループの4つは，点相と継続相を表わしわけるように分化されているのではなく，別の理由による使い分けなので，この言語でも専用の進行相は生起していないと見ることになる。

　ちなみに，張永利，潘家荣(2018)第6章「焦点系统与动貌体制（焦点＝ヴォイスと TAM システム)」に，realis か irrealis の表示に関わる reduplication に関する記述はない。あまり発達していないからであろうか。

3.2　進行相マーカーが当該言語の所在述語文に用いられている動詞と一致するケース

　このケースには，まず Atayal(泰雅)が入る。Zeitoun, Elizabeth et al.(1999)によれば，Ataya の存在述語文，所有述語文は，所在述語文は，次の例（5）のように同じ kiaʔ という形が文頭に来る構文になるが，所在述語文だけにもう一つ haniʔan で始まる構文があり, kiaʔ と haniʔan の違いは, which differ in terms of spatial (and temporal) remoteness(kiaʔ) vs. immediacy.(p.5)だという。

　（5）a.　kiaʔ　　kuʔ　　ŋiyaw　　kaʔ　　rahuwal
　　　　　exist　NOM　　cat　　LIN　　big
　　　　　'There is a big cat(here).'

b. kia? ku? qutux imuwaaɣ=mu

   exist NOM one house=1s.GEN

   'I have a house(there).'

c. hani?an cku? ?ulaqi? =mu ku? ?ulaqi? =su?

   exist ACC child=1s.GEN NOM child=2s.GEN

   'your child is in my child's place.'

d. kia? cku? ?ulaqi? =mu ku? ?ulaqi? =su?

   exist ACC child=1s.GEN NOM child=2s.GEN

   'your child is in my child's place.'

(I am not in my child's place now. I an now on the street talking to you.)

(Zeitoun, Elizabeth et al.1999:5)

　以上の記述は Atayal(泰雅)の Maynnax 方言についてだが，これに対して，「台湾南島語言叢書」の黄金美, 呉新生(2018)で取り扱っている Atayal(泰雅)は，Maynnax 方言ではなく，squliq 方言である。この squliq 方言では，次の例(6)のように，所在述語文に2種類の文頭形式が見られるが，使い分ける原理は Maynnax 方言のとは異なっている。即ち，Maynnax 方言の kia?と hani?anは，Zeitoun, Elizabeth et al.(1999)で指摘されているように，which differ in terms of spacial(and temporal)remoteness(kia?)vs.immediacy.(p.5)だが，以下の例（6）における squliq 方言の cyux と m-aki' は，前者は存在構文，所有構文の文頭形式と同じもので，後者片方 は中国語の「在」に相当すると考えられる所在動詞語幹の aki'に行為者焦点接辞 m-がついてできた行為者焦点動詞である。

（6）a. cyux te rgyax qu ngasal=nya'

    exist PREP mountain NOM house =3s.GEN

    'His house is on the mountain.'

b. m-aki' te rgyax qu ngasal= nya'

   AF -be.at PREP mountain NOM house =3s.GEN

   'His house is on the mountain.'

(黄金美, 呉新生 2018:117)

そして，黄金美，呉新生(2018)によれば，この言語の行為者焦点動詞は realis を表し，その内訳の点相を表すには，接頭辞の in/n 及び，助動詞の wal/wayal が用いられ，進行を表わすには助動詞の cyux/nyux が使われるとされており (pp.97-107)，以下の例（7）は cyux を使用した例である。

（7）　a.　**cyux**　　mngilis　　qu　　'laqi' nya'.
　　　　　　PROG　　AF -cry　　NOM　　child =3s.GEN
　　　　　　'Her child　is　crying'

　　　b.　**cyux**　　m-'abi'　　qu　　yaya'.
　　　　　　PROG　　AF -sleep　　NOM　　mother
　　　　　　'My mother is sleeping'

（黄金美，呉新生 2018:105）

この cyux は，上で述べた所在述語文に使われている cyux と m-aki' という 2 つの動詞の中の 1 つと一致する。そのために，所在述語文に使われている動詞が進行相のマーカーに文法化していると見ることができ，この段階において，張麟声(2022)の仮説は VSO 言語においても有効であることになる。

　一方，所在述語文に使われている cyux と m-aki' という 2 つの動詞の中の，どんな性格の持ち主が選ばれたかというと，焦点＝ヴォイスによって語形変化をし，行為者焦点動詞の形をしている(m-)aki' のほうではなく，存在構文，所有構文の文頭形式と同じ形で，焦点＝ヴォイスによって語形変化をしない cyux が選ばれたのである。この事実は，もしかすると，より単純な形が文法化しやすいということを示唆しているのかもしれないが，のちに改めて検討することにする。

　ちなみに，黄金美，呉新生(2018:97)によれば，この Atayal(泰雅)の reduplication も Amis(阿美)のと似ていて irrealis を表わすことになっている。

　10 言語のうち，Atayal(泰雅)に似ていて，進行相マーカーが所在述語文に使われている動詞と一致するケースには，もう 2 言語あり，Kavalan(格玛兰)と Seediq(赛德克)である。まず Kavalan(格玛兰)について考察するが，以下の例（8）と例（9）が，それぞれその所在述語文と進行相構文の例である。

いずれも文頭に yau が来ており，所在述語文に使われている動詞が進行相の
マーカーに文法化していると言える。

（8） yau   ta   rəpaw-an   sanis-ku
     exist   LOC   house-LOC   child-1s.GEN
     'My child is at home.'

(Zeitoun, Elizabeth et al.1999:5)

（9） yau iku   paseniz   tu   kelisiw   ta   yubin-an
     PROG=1.NOM   withdraw   OBL   money   LOC   post office
     ' I am withdrawing money at the post office.'

(謝富惠 2018:81)

なお，謝富惠（2018）によれば，この言語でも，reduplication は irrealis を表
わす手段となっている（p.79）。

Atayal(泰雅)と似ていて，Seediq（賽德克）にも，文頭の動詞がそれぞれ焦点
＝ヴォイスによって活用するものとしないものという 2 種類の所在述語構文
があり，以下の例(10)と例(11)が前者で，例(12)は後者である。つまり，2
種類の所在述語文の存在は，この言語に関しても，Zeitoun, Elizabeth et
al.(1999)ではなく，「叢書」の一冊である宋麗梅(2018)において指摘されてい
るのである。

(10) **m-enaq**   sapah   baqi
     AF-be.at   house   old man
     'The old man is at home'

(Zeitoun, Elizabeth et al.1999:18)

(11) **Meniq**   sapah   klaali   ka   tama mu
     AF-be.at   house   everyday   NOM   father =1s.GEN
     'My father is at home everyday.'

(宋麗梅 2018:92)

(12) **Gaga**   nganguc   ka   bubu mu
     exist   garden   NOM   mother =1s.GEN
     'My mother is in the garden.'

（宋麗梅 2018：93）

そして，次の例(13)は進行相の例で，その中に例(12)の文頭の gaga が進行
相のマーカーとして用いられている。

(13) Ga   lmingis   ka   laqi na.
     PROG AF-cry   NOM   child =3s.GEN
     'Her child is crying.'

（宋麗梅 2018：88）

例(13)の文頭に来ているのは，gaga ではなく，ga ではないかと思われるか
もしれないが，gaga と ga の意味・機能は完全に同じだとされており(宋麗梅
2018:89)，収集した実例として，たまたま片方が gaga で，片方が ga だけのこ
とである。m-enaq ではなく，gaga が進行相のマーカーとして使われているこ
とは，Atayal(泰雅)とともに，この言語でも，焦点＝ヴォイスによって語形変
化をしないよりシンプルなほうが文法化しているということになる。

なお，宋麗梅(2018:81)によれば，この言語の reduplication も irrealis を表わ
すことになっているという。

4　進行相マーカーが当該言語の所在述語文に用いられる動詞と一致しないケース

ここでは進行相構文は生起しているが，そのマーカーが所在述語文に用い
られる動詞と一致しないケースについて述べる。

この種の言語としてまず Bunun(布农)をあげたい。Bunun(布农)に関して，
Zeitoun, Elizabeth et al.(1999)では，存在構文，所有構文，所在構文のいずれも，
文頭に同じ exist の形が表れる(p.6)とし，一方，黄慧娟/施朝凯(2018)では，
存在構文と所有構文においてはその同じ exist の形が表れるが,所在構文は前
置詞節から始まるとされており(p.138)，見解が分かれている。幸いに 2018
年に書き上げられた博士論文である李俐盈(2018)があり，この博士論文では，
Bunun(布农)には存在構文，所有構文と同じ exist の形が文頭に来る所在構文
もあれば，前置詞節から始まる所在構文もあるとされているために，以下，

14

この李俐盈(2018)を踏まえて論を進めることにする。

存在構文，所有構文，所在構文について，李俐盈(2018)では，次のように述べられている。

Affirmative existential/Locative/possessive clauses are expressed by the predicate 'aiza, as shown in (11-30a-c). Note that a clause with 'aiza includes a theme NP and/or a locative phrase(LP) Example (11-30a) is an existential clause with the indefinite theme and a LP. A locative phrase with 'aiza like (11-30b) includes a theme and LP. The possessive clause (11-30c) requires only a theme with a possessor indicated by a genitive pronoun(¶ 9.6) or by way of a another possessive phrase(¶ 9.7).

(11-30)

a. **'aiza**   [(i-'tumpu)]LP   patishuan]theme.   [existential;=(12.19bb)]
     exist[AV]   LOC-plase.name   firefly
     'Are there a fireflies in Donpu?'

b. **'aiza**   [tama-'alang]theme   [i-lumah]LP.   [locative;(12.22c)]
     exist[AV]   father-person.name   LOC-house
     'Uncle alang is/was at home.'

c. **'aiza**   ['is-puni=tia   kaviaz]NP.   [possessive;=(12:27a)]
     exist[AV]   belong.to-person.name=DIST.OBL   friend
     'That Puni has a friend.'

Aside from the clauses expressed by 'aiza, locative clauses can be conveyed by a locative verb or a verb formed with the locative preposition sia. Consider (11-31).

(11-31)

a. **'i-lumah**   tama-'alang.   [=12.22a]
     LOC-house   father-person.name
     'Uncle alang is/was at home.'

b. **'i-sia**   lumah   tama-'alang.   [=12.22b]
     LOC-lOC   house   father-person.name

'Uncle alang is/was at home.'

(pp.447-448)

また，進行相については，次のように述べられている。

The progressive aspect is rendered by CV-reduplication on active verbs, copying the first CV syllable of the verb root. Examples (6.108-a.b) show the progressive aspect.

(6.108-a.b)

a.　ma-**ku**~kulut　　　　tina　titi　tu　na=kaun-un　sangan=in
AV-RED~cut=NOM.1SG　mother　meet　LIK　IRR=eat-UVP　just.now=PRF
　'Mother is cutting the meet that will be eaten in a moment.'

(p.294)

　まとめて述べると，この言語では進行相は生起しているが，所在述語文の文頭に来る'aiza が文法化してそのマーカーになって生起したのではなく，reduplication が進行相の役割を果たしているのである。これは一見張麟声(2022)の仮説の反例になりそうだが，完全に反例になっているとはまだ言えない。なぜなら，上述のように，所在述語文の実態について，そもそも Zeitoun, Elizabeth et al.(1999)と黄慧娟/施朝凱(2018)の見解が違っており，それに李俐盈(2018)の記述を合わせて考えると，この言語の所在述語文は地域あるいは年齢層によって揺れているのではないかと想像したくなるからである。もしそうだとすれば，'aiza 所在述語文が定着する前に，前置詞型所在述語文に動詞が用いられていないことを補う形で，reduplication が進行相の役割を果たすようになったという可能性も否定できない。ということになれば，張麟声(2022)の仮説にそれほど違反しなくなる。つまるところ，reduplication が進行相として使われだしたのが先か，'aiza 所在述語文の定着が先かということが重要だが，その解明にはこの言語に関する史的研究が必要である。この言語に史的研究を行うための資料が残っているかどうかさえ，すべて筆者の未知の世界の事情なので，本稿での分析はとりあえずこの程度にしておく。

　一方，黄慧娟/施朝凱(2018:127-129)でも，李俐盈(2018:293)でも，この言

語の irrealis は na という接頭辞が表していることを指摘しており，とりわけ李俐盈(2018)では na を the irrealis marker(p.293)とまで呼んでいるという事実があり，たいへん面白い。上述の Atayal(泰雅)では，irrealis を表わす専用の接辞がなく，reduplication がその役割を果たしているが，この Bunun(布农)では，irrealis を表わす専用の接辞があることから，reduplication はもっぱら realis の分化に機能し，realis の一分野である進行相を担うようになったのではないかというシナリオをおのずと脳裏に浮かべてしまう。それについては，残る4言語の事実で再確認することにする。

　方言の違いを無視すれば，次に考察する Paiwan(排湾)は Bunun(布农)と大変近い。方言の違いを無視すると言っても，わざと無視するのではない。Zeitoun, Elizabeth et al.(1999)で考察されている Paiwan(排湾)は northern Paiwan であり，「台湾南島語言叢書」の張秀絹(2018)が Tjana'asia という村落で調査した Paiwan(排湾)は，行政区分で考えれば central Paiwan(排湾)になっているので，何とか両方の資料を使いたいからである。

　Zeitoun, Elizabeth et al.(1999)では，Paiwan(排湾)の存在構文，所有構文，所在構文のいずれも，文頭に同じ exist の形が来る(p. 12)とされ，一方，張秀絹(2018)では，存在構文と所有構文においては同じ exist が文頭に来るが，所在構文に関しては以下の例(14)のような前置詞節から始まる構文になるとされる(p. 78)。そのうえ，以下の例(15)のように，reduplication が進行相の役割を果たしているという記述をしている。

(14)　icasav　　　　a　　　'u'ina.

　　　i-casav　　　a　　　'u='ina

　　　PREP-outside　NOM　1s.GEN

　　　'My morher is outside'

(15)　cemavucavu　ta　ciqav　tjai　vuvu　ti　'ina.

　　　cavu-cavu　　ta　ciqav　tjai　　vuvu　　ti　　'ina

　　　REDU<AF>-Wrap　OBL　fish　OBL　grandfather　NOM　mother

　　　'My mother is wraping the fish for my grandfather.'

(張秀絹 2018:73)

17

張秀絹(2018)だけに基づいてまとめれば，この言語は所在述語文に動詞が使われないタイプで，そのために，進行相を作るのに別の手段を講じる必要があり，reduplication が選ばれたということになる。一方，Zeitoun, Elizabeth et al.(1999)の記述も視野に入れれば，この言語の所在述語文には，前置詞節から始まる構文もあれば，文頭に存在構文，所有構文と同じ exist の形が来る構文もあるが，文頭に exist の形が来る構文の exist をあえて生かさないで，reduplication が進行相の表示に選ばれたため，張麟声(2022)の仮説の反例になってしまう。そして，この意味では，上述の Bunun(布农)と同じことになる。要するに，史的研究の成果がない限り，絶対的なことは言えないのである。

だが，このような二重的な性格を有する Paiwan（排湾）や Bunun(布农)と違い，以下に考察する Puyuma(卑南)と Rukai(鲁凯)という 2 言語は，2 つとも完全に張麟声(2022)の仮説に違反する。

まず Puyuma(卑南)から考察するが，以下の例(16)は Zeitoun, Elizabeth et al.(1999)におけるその存在述語文，所有述語文，所在述語文の例である。驚くことに，その存在述語文と所在述語文は大変似ており，互いに違うのは，kuraw（fish）の前に来ているのが「a」なのか，それとも「na」なのかといった程度である。「a」が不定で，「na」は定だから，おそらくそのためにそれぞれに存在述語文と所在述語文の読みが生まれたのであろう。

(16) a. uraya   a   kuraw   i   kali

      exist   NOM   fish   LOC   river

      'There   is   a   fish /there   are   fish   in   the   river.'

   b. uraya   ku-paisu

      exist   1s.GEN-money

      'I   have   money.'

   c. uraya   na   kuraw   i   kali

      exist   NOM   fish   LOC   river

      'The   fish   is/are   in   the   river.'

(Zeitoun, Elizabeth et al.1999:6)

この言語の存在述語文,所有述語文,所在述語文に関するに関する「叢書」鄧芳青(2018)の記述は,Zeitoun, Elizabeth et al.(1999)と完全に一致する。進行相については,鄧芳青(2018:71)によれば,reduplication が担い,次の例(17)がその実例である。

(17)　matratrangis　tu　alrak.

　　　ma-tra-trangis　　　tu　　　　　al=rak.

　　　AF-REDU-cry　NOM　　　3s.GEN=child

　　　'Her child　is　crying'

鄧芳青(2018:73)

　続いて検討する Rukai(魯凱)も張麟声(2022)の仮説の反例である。以下の例(18)は Zeitoun, Elizabeth et al.(1999)におけるその存在述語文,所有述語文,所在述語文の例であるが,存在述語文と所在述語文の間の違いはもっと微妙である。どう見ても構造的な違いは一切ない。おそらく名詞の定と不定といった要素が機能するため,それぞれ存在述語文か所在述語文かの読みが生まれたのであろう。

(18)　a.　omiki　　vila?a　　ða?anə　　?aŋato

　　　　　exist　　beside　　house　　tree

　　　　'There is a tree beside the house.'

　　　b.　omiki-iaə　　　paiso

　　　　　exist-1s.OBL　money

　　　　'I　have money.'

　　　c.　omiki　lataða　　titiina

　　　　　exist　outside　mother

　　　　'Mother　is　outside.'

(Zeitoun, Elizabeth et al.1999:10)

5　進行相が生起しているが,所在述語文に動詞が用いられていないケース

このケースに該当する言語は SaySiyat(賽夏)しかない。Zeitoun, Elizabeth et

al.(1999)では，この言語の存在述語文，所有述語文は次の例(19)，所在述語文は次の(20)のように記述されている。

(19) a.   (ray)   kawaʃ hayðæh   ka   ʔilaʃ
         (LOC)   sky   have   ACC   star
         'There are stars in the sky.'

    b.   yako   hayðæh   ka   rayhil
        1s.NOM   have   ACC   money
        'I have money.'

(20)   tatiniʔ   ray   tawʔan
        oldman   LOC   house
        'The oldman is at home.'

(Zeitoun, Elizabeth et al.1999:7)

存在述語文，所有述語文，所在述語文に関する葉美利 (2018) の記述はZeitoun, Elizabeth et al.(1999)のと一致する。そして，進行相関連で，次の例(21)，例(22)，例(23)のような用例があげられている。

(21) Lasiya SoSomahoe' ka kakrangi'an
     Lasiya   So-S<om>ahoe'   ka   kakrangi'an
     They.NOM   CV-AF-burn   ACC   somethings
     'They are burning somethings.'

(22) 'oemaw   mam   koma:at ka kina:at
     'oemaw   mam   k<om>a:at ka   kina:at
     'oemaw   PROG   AF-write ACC   letter
     ''oemaw is writing a letter.'

(23) siya kahiya'mowa:i rini, yako mam totomalek.
     siya   kahiya'   mo-wa:i   rini,   yako   mam   totomalek.
     he.NOM   yesterday AF-come here i.NOM PROG CV-AF-cook
     'I was cooking when he came yesterday.'

葉美利 (2018:98-99)

例(21)では reduplication, 例(22)では行為者焦点動詞構文に「助動詞」の mam がそれぞれ用いられ，そして，例(23)では，reduplication と「助動詞」の mam がともに用いられて進行を表しているのである。

だが，「助動詞」の mam の起源が何なのかが書かれていない。おそらく分からないであろう。進行相のマーカーとしては確認できたものの，文字資料を持たない言語では,その本来の意味などが分からないことは珍しくない。Bybee et al.(1994)では，47 言語の進行相のマーカーを記述したが，そのうちの 9 言語分は Unknown とされている (pp.128-129)。日本語で書かれたチノ語の記述文法書である林範彦(2009)でも同じである。-ko という形を進行相のマーカーとして，用例をしっかりつけて記述しているが，その素性は分からないという(著者の私信による)。

分からない以上，無理な分析は続けるべきではない。したがって，この節でまとめられることは以下の通りである。

SaySiyat(賽夏)の所在述語文には，動詞が使われていない。そのために，進行相を表すのに，別の手段が用いられているが，ここまでは，張麟声(2022)の仮説と矛盾しない。

ただし，張麟声(2022)の仮説では，所在述語文に動詞が「明示的に用いられない言語で，進行相を作り上げる需要が出てくると，所在述語文に用いられる動詞の代わりに，移動述語文に用いられる動詞が文法化していく」としている。mam の起源がそうだったかどうかは分からないが，少なくとも reduplication はそのような移動述語文に用いられる動詞ではない。

6　おわりに

今まで考察した結果の概要は，以下の表 2 の通りである。なお，表の中の記号は，次のようになっている。

LOC：所在述語文。

V：所在述語文に使われている動詞。

(1)／(2)：個数。

(+)／(−)：あり，なし。

21

PREP：前置詞構文。

PROG：進行相。

REDU：reduplication。

表2

	PROG(−)	PROG(+)＝1		PROG(+)＝2
		V	REDU	(REDU+others)
LOC(1) ＝PREP				SaySiyat(赛夏)
LOC(2) ＝V+PREP	Amis(阿美)	Kavalan(格玛兰)	Bunun(布农) Paiwan(排湾)	
LOC(2) ＝V+AF	Taou(邹)	Atayal(泰雅) Seediq(赛德克)		
LOC(1) ＝V			Puyuma(卑南) Rukai(鲁凯)	

　本稿の考察を通して得られた結論は次の通りである。

Ⅰ　Formosan languages の所在述語文の構造は，存在述語文や所有述語文と違い，かなり不安定である。論拠は以下の通りである。

　10 言語のうち，SaySiyat(赛夏)の所在述語文は前置詞構造で，動詞が使われていない。それに対して、Amis(阿美), Kavalan(格玛兰), Bunun(布农), Paiwan(排湾)の 4 言語は，所在述語文が 2 種類あり，片方には存在述語文や所有述語文と同じ動詞が使われ，片方は前置詞構造である。また，Taou(邹), tayal(泰雅), Seediq(赛德克)の 3 言語も所在述語文を 2 種類持つが，片方には存在述語文や所有述語文と同じ動詞が使われ，もう片方には行為者焦点動詞が使われている。したがって、Formosan languages の所在述語文に動詞が用いられるようになったのは、かなり後のことではないかと考えられる。

Ⅱ　10 言語のうち，進行相が生起している言語は 8 つ，その中で進行相の表示として reduplication が用いられているのは 5 つもあり，特に所在述語文に

動詞が用いられていない SaySiyat(賽夏)において，reduplication が進行相の表示の1種類として選ばれており、張麟声(2022)の仮説の改善に直接役立つ。

Ⅲ　10言語のうちに，進行相が生起していない2言語及び所在述語文動詞が進行相のマーカーに文法化している3言語において，reduplication は realis ではなく，irrealis を表しているか，機能が弱いためか，記述文法書にそもそも登場しないという事実も示唆的である。もしこれらの言語において，reduplication が irrealis ではなく，realis を表していたら，Puyuma(卑南)や Rukai(魯凱)のように、張麟声(2022)の仮説に違反する言語が増えているのかもしれない。

Ⅳ　とはいえ，Puyuma(卑南)や Rukai(魯凱)のような言語において，動詞が用いられた所在述語文が先に生まれたか，reduplication が進行相を先に表しだしたかを明らかにするまで，張麟声(2022)の仮説を大きく変える必要はない。仮説をとりあえず以下のように修正し，残る課題については、自他の今後の研究に期待する。

　「所在述語文において，動詞が明示的に用いられる言語であれば，その動詞が文法化して進行相を作り上げる。一方，明示的に用いられない言語で，進行相を作り上げる需要が出てくると，所在述語文に用いられる動詞の代わりに，移動述語文に用いられる動詞や，reduplication などの手段が活用されることになる。」

参考文献：

大上正直(1994)『フィリピノ語文法入門』,白水社

亀井孝・河野六郎・千野栄一編著(1995)『言語学大辞典　第6巻　術語編』,三省堂

張麟声(2022)「進行相の語彙的ソースの諸類型及び日本語タイプ」，大阪府立大学人間社会システム科学研究科人間社会学専攻言語文化学分野『言語文化学研究』，第17号，pp.29～44，2022年03月.

林範彦(2009)『チノ語文法(悠楽方言)の記述研究』,神戸市外国語大学外国学研究所.

鄧芳青(2018)『卑南語語法概論』.新北：原住民族委員会

黃慧娟/施朝凱(2018)『布農語語法概論』.新北：原住民族委員会

黃金美, 吳新生(2018)『泰雅語語法概論』.新北：原住民族委員会

李俐盈(2018) *A Grammar of Isbukun Bunun*. 台湾：台湾清华大学语言学研究所.

斉莉莎(2018)『魯凱語語法概論』.新北：原住民族委員会

宋麗梅(2018)『賽德克語語法概論』.新北：原住民族委員会

葉美利(2018)『賽夏語語法概論』.新北：原住民族委員会

吳静蘭(2018)『阿美語語法概論』.新北：原住民族委員会

謝富惠(2018)『格玛蘭語語法概論』.新北：原住民族委員会

張秀絹(2018)『排湾語語法概論』.新北：原住民族委員会

張永利, 潘家荣(2018)『鄒語語法概論』.新北：原住民族委員会

Bybee, J., Perkins, R., and Pagliuca, W. (1994). *The evolution of grammar: Tense, aspect, and modality in the languages of the world.* Chicago: University of Chicago Press.

Stassen, L. (2013) Chapter 119 Nominal and Locational Predication. Dryer, Matthew & Haspelmath, Martin (eds.) 2013. *The World Atlas of Language Structures Online.* Leipzig: Max Planck Institute for Evolutionary Anthropology.

Zeitoun, Elizabeth, L. Huang, M. Yeh and A. Chang. (1999). Existential, possessive and locative constructions in the Formosan languages. *Oceanic Linguistics.* 38.1: 1-42.

中国語諸方言における進行を表す文末「在」
On the sentence-final progressive *zai* in Chinese dialects

趙　葵欣（大東文化大学）

Kuixin ZHAO (Daito Bunka University)

要　旨

現代中国語の方言で、主に湖北・湖南・安徽で話される江淮官話・西南官話には、文末「在」を用いる進行表現がよく見られる。本稿は西南官話である武漢方言を例とし、文末「在」の用法を具体に記述した上で、後置型の「在」を共時・通時的に考察した。存在を表す動詞の「在」が唐代から文末に現れ、使用範囲の拡張により様態持続・動作進行の表現となった。南宋『朱子語類』には文末「在」の豊富な表現が見られ、これは現代中国語方言における文末「在」の進行表現と直接繋がると思われる。

キーワード：進行形，文末の「在」，現代中国語方言，近世禅語録，朱子語類

1　はじめに

　現代中国の共通語「普通話」では、典型的な進行表現は述語の前に「正」や「在」を用い、持続表現は述語の後ろに「着」を用いるのが一般的だが、方言では少し複雑な状況が見られる。進行表現で述語の前に「在」を使わない方言があり（例えば晋方言，邢向東 2020：542、544-546；武玉芳 2010：204-206）、文末「在」を用いて進行を表す方言もある。本稿はこの文末「在」の進行表現に注目し、前置・後置型の「在」がともに使われる武漢方言（西南官話）の相関表現を記述した上で、現代中国語諸方言における文末「在」の進行表現の分布状況を整理する。さらに近世中国語に遡り、話し言葉を多く記録する禅語録文献等にある文末「在」の使用状況を考察する。

2 武漢方言の「進行表現」に関する記述

　武漢は中国の中部に位置する大都市であり、2021 年末の全市常住人口は 1364.89 万である[1]。『中国語言地図集漢語方言巻・第 2 版』（北京：商務印書館, 2012 年）によると、現代中国語の方言は大きく官話、晋語、呉語、粤語、閩語、湘語、客家話、贛語、徽語、平話の十大方言に分けられ、武漢方言はその中の官話に属し、官話の一つである西南官話・武天片の代表的な方言点である。

　武漢市内には長江と漢水が流れていて、地理的に漢口と武昌、漢陽の「三鎮」に分かれている。それぞれの方言はほぼ同じだが、本論で取り上げた武漢方言の例は漢口の言葉である。

2.1「進行表現」の 3 つのタイプ

　Aタイプ：在+VP[2]

　　（1）他　在　　　　看　手机。

　　　　　彼　している　見る　携帯

　　　　「彼は携帯を見ている。」

　Bタイプ：VP+在　例：

　　（2）他　看　手机　在。

　　　　　彼　見る　携帯　している

　　　　「彼は携帯を見ている。」

　Cタイプ：在+VP+在　例：

　　（3）他　在　　　　看　手机　在。

　　　　　彼　している　見る　携帯　している

　　　　「彼は携帯を見ている。」

　「在」は述語の前に置かれる前置型（例1）と文末に置かれる後置型（例2）があり、さらに前・後ともに「在」を付けることもできる（例3）。

---

[1] 『2021 年武漢市国民経済和社会発展統計公報』によるデータである。
　（http://www.wuhan.gov.cn/zjwh/whgk/202004/t20200414_999422.shtml、2022/7/29 最終確認）
[2] 略号：VP 動詞フレーズ, NP 名詞フレーズ, PART 助詞, NEG 否定詞

2.2 動詞の特徴

　武漢方言の進行表現「VP 在」に使われる動詞は以下でなければならない[3]：

　Ⅰ、動作動詞：動作の起点と終点、中間段階がある。例えば搞（する）、玩（遊ぶ）、休息（休む）、洗（洗う）、看（見る）、打（电话、球、牌）（電話・球技・トランプをする）、上课（授業をする）、开会（会議をする）等。

　動作性の強い動詞はより容易に「VP 在」に入る傾向がある。だが「想（考える）」もこの「VP 在」に入ることができ、進行を表す：

　　（4）A：你　　快　点　想　　　办法。

　　　　　　あなた　早い　少し　考える　方法

　　　　　「あなたは（少し）早く方法を考えて。」

　　　　B：想　　　在。

　　　　　考える　している

　　　　　「考えている。」

　Ⅱ、瞬間動詞：起点と終点があるが中間段階はごく短い。このような動詞も「VP 在」に入ることができる。例えば：

　　（5）张三　挂　　画　在。

　　　　　張三　掛ける　絵　している

　　　　　「張三さんは絵を掛けている。」

　　（6）张三　拿　伞　在。

　　　　　張三　取る　傘　している

　　　　　「張三さんは傘を取っている。」

「掛ける、取る」は動作過程が短いが、例（5）・（6）はこれらの動作を行っている最中のことを表している。また動作を完成した後の状態の持続を表す際にも文末に「在」を付けるが、動詞の後ろに「倒」も付けなければならない。この「倒」については後文3.2で説明する。

　Ⅲ、コントロールできる動作動詞だけが「VP 在」に入ることができ、"丢（無くす）、死（死ぬ）"等はできない。

---

[3] 動詞の分類は郭鋭（1993）を参考にした。

27

また「VP在」構文には、否定副詞の「不、没」が現れることはできない。だがテンスに制限はなく、過去と未来のどちらにも用いられる。

(7) A:他 么样 晓得 是 你 搞的鬼 咧?
　　　彼 なぜ 知る である あなた する の いたずら PART
　　「彼はなぜあなたがいたずらしたと分かったの?」

　　B:我 笑 在。
　　　私 笑う している
　　「私が笑っていたから。」

(8) A:我 明天 晚上8点 去 找 他。
　　　私 明日 夜 8時 行く 訪ねる 彼
　　「私は明日の夜8時に彼を訪ねに行く。」

　　B:莫 那个点去, 他 肯定 吃 饭 在。
　　　しないで その 時点 行く 彼 きっと 食べる ご飯 している
　　「その時間はやめて、彼はきっと食事している。」

3　武漢方言における「在」の他の使い方

3.1 存在を表す動詞

(9) 小王 不 在。
　　王さん NEG いる
　「王さんはいない。」

3.2 持続を表す

　　Aタイプ：場所+V倒+NP+在 / NP+V倒+場所+在

(10) a.炉子 高头 煨 倒 汤 在。
　　　 コンロ 上 煮る している スープ いる
　　　「コンロでスープを煮ている。」

　　　 b.汤 煨 倒 炉子 高头 在。
　　　 スープ 煮る している コンロ 上 いる
　　　「スープをコンロで煮ている。」

Ｂタイプ：NP+V 倒+在

（11）门　开　　倒　　　在。

　　　　ドア　開く　している　いる

　　　「ドアが開いている。」

　例（10）、（11）のような持続表現は以下の特徴がある：

　Ⅰ、動詞の後の「倒」は省略できず、無い場合は状態の持続を表すことができなくなる。例（12）のａとｂを比較してみる。

　　（12）a.他　穿　　大衣　　　在。

　　　　　彼　着る　コート　している

　　　　「彼はコートを着ている。」

ａの例はコートを着る動作を行っている最中を表している。

　　　　　b.他　穿　　倒　　　大衣　　　在。

　　　　　彼　着る　している　コート　している

　　　　「彼はコートを着ている。」

ｂの例はコートを身にまとった状態を表している。

　ａ、ｂが示しているとおり、「倒」が持続表現の決まり手である。

　Ⅱ、文末の「在」も欠かせない。無い場合は命令文に変化したり、文が完了していないようになる：

　（10）'a.＊炉子高头煨倒汤

　　　　　b.炉子　高头　煨　　倒　　汤　　就　　不能　　离　人。

　　　　　コンロ　上　煮る　している　スープ　ならば　できない　離れる　人

　　　　「コンロでスープを煮ているから（人は）離れられない。」

　（11）'a.门　开　　倒！

　　　　　ドア　開く　している

　　　　「ドアを開けておいて！」

　　　　　b.＊门开倒

　　　　　c.门　开　　倒　　　凉快　　些。

　　　　　ドア　開く　している　涼しい　少し

　　　　「ドアが開いていると（少し）涼しくなる。」

　（10）'ａは完成していないため、非文である。ｂのように後ろに続く文があれば

29

成立できる。(11)' a は命令文になっている。b も成立しないが、後ろに続く文
があれば、c のように成立する。

3.3 武漢方言における文末「在」のまとめ

Ⅰ、「在」は動詞の後につける成分というより、文末成分である。VP 部分が複
雑な構造となると、「在」は動詞のすぐ後ではなく文末に置かれるため。

Ⅱ、「在」は 2.1 の進行表現 B タイプで必要であり、3.2 の持続表現でも欠かせ
ない。

Ⅲ、武漢方言の持続マークは「倒」であり、進行マークは動詞の前に置く「在」
だと考えられる（趙葵欣 2022:127-131）。文末「在」は進行を表す以外に、言い
切りの働きもある。

この文末「在」の文法性質について、近世中国語学界では語気を表す助詞だと
認識しているが（呂叔湘 1941/1984; 曹広順 1995; 盧烈紅 2018; 羅驥 2003; 孫錫
信 1999; 李小軍 2011）、現代中国語方言学界ではアスペクトマークやアスペクト
助詞（体助詞）として扱うことが多い（李崇興 1996; 羅自群 1999; 汪国勝 1999;
呉早生 2008）。本稿では Bybee et al.(1994) に基づいて暫定的に文法要素（gram）
として扱う。

4　他方言にある進行を表す「VP 在」

他方言の先行研究に記述された文末の「在」は、進行を表すことは少なく、持
続を表す例が多い。以下、中国語の他方言における進行を表す「VP 在」を簡単に
整理する。

4.1 曹志耘主編（2008 年：66）の記述

文末「在」が進行を表す方言は、主に湖南と安徽、江西、広西、海南に分布し、
贛語 3，閩語 3，西南官話 3，江淮官話 1，湘語 1，平話 1，郷話 1 に及ぶ[4]。具体
的には以下である：(例文は全て「彼がご飯を食べている。」の表現である。他:

---

[4] 郷話は瓦郷話ともいい、主に湖南省西部の山間部で使われる特別な方言である。現在方言
所属はまた不確定で、十大方言に含められていない。

彼，吃：食べる，饭：ご飯，着：助詞、～している）

江西九江市星子（贛語昌靖片）：他吃着饭在。or 他在吃饭呢。

安徽滁州（江淮官話洪巣片）：他在吃饭在。or 他在吃饭呢。

湖南龍山（西南官話成渝片）、安徽懐寧（贛語懐岳片）、広西龍州（平話桂南片）：
　　他在吃饭在。or 他吃饭在。

湖南新晃（西南官話黔北片）：他吃饭在。or 他在吃饭呢。

湖南永順（西南官話成渝片）、保靖（湘語吉溆片）、瀘渓郷（郷話）、資興（贛語
　　耒資片）：他吃饭在。or 他在吃饭。

海南三亜（閩語瓊文片）：他吃饭在。or 他在吃饭。

海南東方（閩語瓊文片）、楽東（閩語瓊文片）：他吃饭在。or 他正吃饭。

4.2 黄伯栄主編（1996：213-215）の記述
　文末「在」が進行を表す方言は2つあり、ともに安徽にあり、江淮官話である。
　安徽合肥（江淮官話洪巣片）：他看书在。「彼は本を読んでいる。」
　　他の動詞：干在「している」/吃在「食べている」/讲在「話している」
　　/玩在「遊んでいる」等がある。また動詞と「在」の間に「着」を加えること
　　ができ、「V着在」のように用いる。
　安徽霍邱（江淮官話洪巣片）： 単音節動詞＋子＋在：那本书他看子在。「あの本
　　を彼は読んでいる。」動作の進行を強調するため、動詞と目的語の間に「子」
　　を加えることができる： 写子信在「手紙を書いている」/上子梯子在「梯
　　子を登っている」

4.3 他の先行研究の記述
　湖北英山（江淮官話黄孝片）：他吃在里，你就莫説了。「彼はご飯を食べている
　　ので、あなたはもう言わないで。」/（在）VO 在：細伢儿在玩游戏在。「子ど
　　もがゲームを遊んでいる。」（汪国勝 1999）
　湖北襄樊（西南官話）：我炒菜在。「私は料理をしている。」/我招呼小娃子
　　在。「私は子どもの面倒をみている。」（羅自群 2005）

広西玉林（桂南平話）：佢做作業在。「彼は宿題をやっている。」（梁忠東 2009）

陝西安康漢浜話（中原官話関中片）：他接电話在。「彼は電話に出ている。」／他（在）招呼客人在。「彼はお客さんをもてなしている。」（楊静 2012）

安徽霍山（江淮官話洪巣片）：妈妈切菜在。「母は野菜を切っている。」（曹東 2017）

湖北孝感（江淮官話黄孝片）：他（在）看书在。「彼は本を読んでいる。」（王求是 2007）

河南光山（江淮官話光山片）：他做饭在。「彼は料理を作っている。」（呉早生 2008）

以上のデータを表1にまとめた。

表1　中国語方言における進行表現「VP 在」の分布

方言区		方言の下位群	地域
官話	江淮官話	洪巣片/滁州話	安徽
		洪巣片/合肥話	安徽
		洪巣片/霍邱話	安徽
		洪巣片/霍山話	安徽
		黄孝片/英山話	湖北
		黄孝片/孝感話	湖北
		光山片/光山話	河南
	西南官話	成渝片/龍山話	湖南
		成渝片/永順話	湖南
		黔北片/新晃話	湖南
		鄂北片/襄樊話	湖北
	中原官話	関中片/安康漢浜話	陝西
贛語		昌靖片/九江市星子話	江西
		懐岳片/懐寧話	安徽
		耒資片/資興話	湖南
湘語		吉漵片/保靖話	湖南

平話	桂南片/龍州話	広西
	桂南片/玉林話	広西
郷話	瀘渓郷話	湖南
閩語	瓊文片/三亜話	海南
	瓊文片/東方話	海南
	瓊文片/楽東話	海南

現代中国語方言における進行を表す文末の「在」について、さらに以下の3点を補充したい：

Ⅰ、各方言の「在」は同時に持続表現にも使われる。

Ⅱ、「在」の他に、「在里」（湖北英山話）の形式がある。動詞の前にも文末にも使える。

Ⅲ、主に江淮官話と西南官話、及びその近隣地区に見られるが、贛語、海南閩語にもこのような現象がある。現在までの研究がまだ十分ではなく、他の方言の同様の現象がまだ明らかにされていない可能性もある。

5 文末「在」に関する通時的な考察

5.1 先秦～隋

文末の「在」は、最初は存在文に用いられた。主な文型は「有（存在・所有を表す動詞）＋NP＋在」で、先秦文献に既に見られる。

(13) 有 父兄 在，如之何其聞 斯 行 之？（春秋『論語・先進第十一』）

　　いる 父 兄 いる ならなぜ 聞く すぐに 実行する これ

　　「父兄がいるのに、どうして聞いてすぐにやるのか？」[5]

(14) 男子 行 猟， 唯 有 妇女 在。（西晋『法句譬喩経』巻一）

　　男性 行く 猟をする ただ いる 女性 いる

　　「男性は猟に行った、ただ女性だけがいる。」

---

5 『論語』の日訳は吉川幸次郎（1969：366）を参考した。

他に存在を表す動詞と共起する例も見られる：

(15) 有 三 番 饼, 夫妇 共 分,　　各 食 一 饼, 余 一番 在。(南
朝『百喩経』巻四)

ある 3 個 餅 夫婦 共に 分ける 各 食べる 1つ 餅 残り 1つ ある

「餅が3つあり、夫婦で分け、それぞれ1つ食べた、残りは1つある。」

例 (15) で文末「在」と共起する動詞は「余」(残り) である。

　例 (13) 〜 (15) のような「在」には明らかな存在の意味があり、動詞とみなすことができる。ゆえにこれらの文は連動文だと思われる[6]。

5.2 唐・五代十国

　唐代に、文末「在」の前で使用できる動詞が増え始め、詩や詞にはある状態の存在を表す例が現れる。例えば：

(16) 风 吹 荷叶　 在 (唐/孟郊「戯贈陸大夫十二丈」)

　　風 吹く 蓮の葉　している

　　「風が蓮の葉を揺らしている」

ただし詩や詞の言語には押韻や文字数等多くの制限があり、また文法も不規則が許され、理想的な文法研究材料ではないと考えられるので、本稿では詩や詞の用例を考察せず、口語文献である禅語録等の考察を主とする。

　晩唐五代の禅語録にも多くの文末の「在」構文があり、さらに「有NP在」以外に、「未VP在」や「VP在」等の形式が見られる：

(17) 師 曰：犹　 有　这个纹彩 在。(『祖堂集』巻2)

　　師 云う まだ ある この紋彩 ある

　　「師が云う：まだこの紋彩がある。」[7]

(18) 云岩 云："这个人 未　 出家 在。"(『祖堂集』巻6)

　　雲嵓 云う この人 NEG 出家 している

　　「雲嵓が云う：この人は出家していない。」

---

[6] 中国語の連動文は2つの動詞を並べる構文である：我 去 买 东西。

　　　　　　　　　　　　　　　　　　私 行く 買う もの

　　　　　　　　　　　　　　　　　「私は買い物に行く。」

[7] 『祖堂集』の日訳は柳田聖山 (1995) を参考にした。

(19) 大徳　正　　闹　　在，　　且　去，　別　時　来。(『景徳伝灯録/黄
　　檗山断際禅師伝心法要』)

　　大徳 ちょうど 騒ぐ している　一旦 行く 別 時 来る

　「大徳の(心)がちょうど騒いでいるので、まずは帰って、他のときに来て。」
例(17)の文末「在」は、まだ存在・所有を表す動詞「有」と共起しているが、
例(18)は否定文であり、「出家していない」状況を表す。例(19)の「闹(騒ぐ)」
は例の中では心が騒ぐことを表しているが、「騒ぐ、暴れる」という意味の動詞の
動作性は例(17)、(18)より強いと見られる。これらの例から、文末「在」と共
起する動詞の拡張が明らかに見出だせる。

5.3　宋・『朱子語類』にある文末の「在」

　『朱子語類』は、中国宋代の儒学者である朱熹(1130−1200年)と門弟らの問
答を、黎靖徳が集成・分類した書物である。咸淳6年(1270年)刊、140巻。「語
類」であるため、書物としての書き言葉と違い、話し言葉によって綴られており、
近世中国語学の研究上、非常に貴重な話し言葉の資料として利用されている。そ
の『朱子語類』の文末「在」の使用範囲はさらに拡大しており、以下のような形
式が現れている。

表2　『朱子語類』にある文末「在」構文の使用状況[8]　(存在動詞用法を除く)

構文	用例数	例
「有」類動詞 …在	119	天下自有一个道理在，若大路然。(巻114)「天下には自ずから一つの道理がある、大きな道のように。」[9]
是(be) … 在	15	不然，七分是小人在。(巻15)「さもなければ、(その人は)7割方は小人である。」

---

[8] 略号：V 動詞, ADJ 形容詞, O 目的語
[9] 『朱子語類』の日訳は垣内景子編、訓門人研究会訳注(2012)、興膳宏・木津祐子・齋藤希史訳注(2009)、田中謙二(1994)、中純夫編、朱子語類大学篇研究会訳注(2015)と(2018)を参考した。日訳がない巻の例文は執筆者が自訳したものである。

V得…在	V得（O）在	15	19	此且做得一个粗粗底基址在，尚可加工。（卷113）「これで一応大まかな叩き台が作ってあり、まだまだ手を加えることができる。」
	V得ADJ在	4		若天地自会说话，想更说得好在。（卷65）「もし天地が自分で話せるなら、話すのが更にうまいだろう。」
V著（O）在		17		若谓平分，则天却包著地在，此不必论。（卷65）「もし等分と云うなら、天は地を包んでいて、これは論じる必要がない。」
VP＋在		29		他当初只是据事如此写在，如何见他讥与不讥？（卷83）「彼は当時ただ事件に基づいてこのように書いていただけだ、あざけっていたかどうかどうして分かる。」
ADJ＋在		36		天下书尽多在。（卷10）「天下に書物は非常に多いぞ。」
否定形	未/未曾/不曾VP在	38		如公之说，这里面一重不曾透彻在。（卷16）「君の説だと、この中に一重の透徹していないものがある。」
助動詞VP在		9		先生须更被大任用在。（卷106）「先生はきっとまだ要職に任用されるでしょう。」
合計		282		

『朱子語類』の「VP在」の用例を分析すると、動作性が強い動詞が構文中に現れている。例：

（20）方　其　说起头　时，　自　未　知　后面　说　甚么　在。
　　（卷139）

　　ばかり　その　話し始める　とき　当然　NEG　知る　後ろ　話す　何　している
　　「話し始めたばかりのとき、当然後で何を話すかを知らない。」

（21）他　当初　只是　据　　事　如此　　　写　　在，…（巻83）

　　　　彼　当時　だた　基づく　事件　このように　書く　している

　　　「彼は当時ただ事件に基づいてこのように書いていただけだ，…」

「说」（話す）、「写」（書く）のような動詞は、現代の武漢方言では「VP在」に入れて進行を表すことができるものである、例えば：你说么事在?「あなたは何を言っている？」/他写信在。「彼は手紙を書いている。」等。ゆえに文型から見ると「VP在」で進行を表すことはすでに可能だが、使用例は当時の文献にはまだあまり多く見られない。

　『朱子語類』には文末「在」構文以外に、大量の文末「在这里（here）/在那里（there）」構文が現れている。用法は文末「在」構文と類似していて、例えば「有/是+NP+在这里/那里」、「V 得（0）+在这里/那里」、「ADJ+在这里/那里」等の表現が見られる。また『朱子語類』に現れた「在这里/那里」は動詞の前後どちらにも用いられ、後世の進行表現にも影響があると思われるが、紙幅の都合もあり別論に譲る。

5.4 元代以降

　元代以降、文末の「在」は文献からほぼ消失し、元雑劇の中でもほとんど見かけない（胡竹安1958；孫錫信1999：87；羅驥2003：38）。今回『関漢卿戯曲集』と『元刊雑劇三十種』を調査したが、「ADJ＋在」と「存在動詞＋NP＋在」の例文はたった3つであった：

（22）听知的新官下马。你慢在。（『関漢卿戯曲集/王閨香夜月四春園』）

　　　「新任の官吏が到着したと聞いた。あなたはゆっくりして。」

（23）常受饥寒贫不择，才有些余资狠心在。（『元刊雑劇三十種/看銭奴買冤家債主』）

　　　「常に飢えと寒さが迫って貧しいが、やっと少しお金の余裕があると無情になっている。」

（24）闪得我后代绝，便留的他残生在，休想苦尽甘来。（『元刊雑劇三十種/散家財天賜老生児』）

　　　「私に子孫を得させずに、ただ生き残っているだけ、苦しみが過ぎ楽になることなど全く考えられない。」

以上の通時的な考察から、以下の3点が導かれる：

Ⅰ、文末「在」は元々存在を表す動詞であり、唐代からは状況の持続を表すことができる。宋代では禅語録に大量に使われ、状況の持続や動作の進行を表している。元以降このような使用は激減し、文献からほぼ消失している。

Ⅱ、文末「在」の、最初に現れた構文は「有＋NP＋在」である。「有」が「存在・所有」を表す動詞であるため、「ある/いる＋NP＋ある/いる」のように意味上の過剰だと思われる。これをきっかけとし文末の「在」は文法化を始める：他の存在動詞が「有」と代わり、「存在動詞＋NP＋在」に発展する。さらに「存在動詞＋NP」の部分が他の動詞や形容詞と入れ替わり、「VP＋在」や「ADJ＋在」構文に拡張される。動詞の動作性が強いほど進行表現と解釈しやすくなる。

Ⅲ、元以降、文末「在」の使用が文献からほぼ見られなくなったが、この用法が現代中国語方言の一部に残っていると考えられる。

6　余論

最後に近世中国語における文末の「在」が、現代中国語の一部の方言にしか残っていない点について少し述べる。

「在」は動詞用法以外に、元明以降「於」に代わり、中国語の場所を表す主要な介詞（前置詞）となっている（張赬 2002：232）。動詞の後ろに「在」を置くと、場所表す名詞フレーズと共起し、動作帰結点や滞留の場所を表すことになる。張赬（2002：232）によると元明以降、動作を行う場所や存在する場所を表す際はVPの前に位置し、動作の帰結点を表す際は VP の後ろに位置するという語順のルールが中国語に定着した。ゆえに状態の存在や動作の進行を表す文末「在」の居場所がなくなり、だんだんと消失に往く道を避けられなかった。

前述の『朱子語類』は朱熹とその門人の講義と問答の実録であり、その門人らは主に中国の南方各地の出身である（徐時儀 2013：33；157）。陳栄捷（1982：11）の統計によると、彼らは福建が 164 人、浙江が 80 人、江西が 79 人、湖南と安徽はそれぞれ 15 人、江蘇と四川はそれぞれ 7 人、湖北は 5 人、広東は 4 人、河南と山西はそれぞれ 1 人である。現代中国語の江淮官話や西南官話、贛語、閩語等だけに文末の「在」の用法があるのは、この点と直接関連すると考えられる。

参考文献

曹　東（2017）「浅談安徽霍山話句末助詞 "在"」『淮海工学院学報（人文社科版）』15(1), pp. 56-58

曹広順（1995）『近代漢語助詞』語文出版社

曹志耘主編（2008）『漢語方言地図集・語法巻』商務印書館

陳栄捷（1982）『朱子門人』台湾学生書局

郭　鋭（1993）「漢語動詞的過程結構」『中国語文』6, pp. 410-419

胡竹安（1958）「宋元白話作品中的語気助詞」『中国語文』6, pp. 270-274

黄伯栄主編（1996）『漢語方言語法類編』青島出版社

李崇興（1996）「湖北宜都方言助詞 "在" 的用法和来源」『方言』1, pp. 61-63

李小軍（2011）「語気詞 "在" 的形成過程及機制」『南開語言学刊』1, pp. 116-123

梁忠東（2009）「玉林話 "在" 的助詞用法」『欽州学院学報』24 (4), pp. 74-77

盧烈紅（2018）「禅宗語録中 "在" 字句的発展及相関問題析論」『語言学論叢（第五十七輯)』, pp. 204-235

呂叔湘（1941）「釈《景徳伝灯録》中在、著二助詞」『華西協合大学中国文化研究所集刊』1, 又は『漢語語法論文集（増訂本)』(商務印書館, 1984), pp. 58-72

羅　驥（2003）『北宋語気詞及其源流』巴蜀書社

羅自群（1999）「現代漢語方言 "VP+ (0) +在里/在/哩" 格式的比較研究」『語言研究』2, pp. 51-61

羅自群（2005）「襄樊方言的 "在" 字句」『漢語学報』1, pp. 31-37

孫錫信（1999）『近代漢語語気詞』語文出版社

汪国勝（1999）「湖北方言的 "在" 和 "在里"」『方言』2, pp. 104-111

王求是（2007）「孝感方言的語気助詞 "在"」『孝感学院学報』27 (5), pp. 10-12

呉早生（2008）「光山方言体助詞 "在"」『阜陽師範学院学報（社会科学版)』2, pp. 87-90

武玉芳（2010）『山西大同県東南部方言及其変異研究』中国社会科学出版社

邢向東（2020）『神木方言研究（増訂本)』中華書局

徐時儀（2013）『〈朱子語類〉詞彙研究』上海古籍出版社

楊　静（2012）「安康漢浜方言的句末助詞 "在"」『安康学院学報』5, pp. 9-12

趙葵欣（2022）『武漢方言語法研究・修訂本』中国社会科学出版社

張　赬（2002）『漢語介詞詞組語序的歴史演変』北京語言文化大学出版社

中国社会科学院語言研究所・中国社会科学院民族学与人類学研究所・香港城市大
　　学語言資訊科学研究中心編（2012）『中国語言地図集漢語方言巻・第二版』商
　　務印書館

垣内景子編、訓門人研究会訳注（2012）『「朱子語類」訳注　巻百十三〜百十六』
　　汲古書院

興膳宏・木津祐子・齋藤希史訳注（2009）『「朱子語類」訳注　巻十〜十一』汲古
　　書院

田中謙二（1994）『朱子語類外任篇訳註』汲古書院

中純夫編、朱子語類大学篇研究会訳注（2015）『「朱子語類」訳注　巻十五』汲古
　　書院

中純夫編、朱子語類大学篇研究会訳注（2018）『「朱子語類」訳注　巻十六（上)』
　　汲古書院

柳田聖山（1995）『大乗仏典〈中国・日本編〉』第十三巻　中央公論社

吉川幸次郎（1969）『吉川幸次郎全集』第四巻　筑摩書房

Bybee, Joan L. and Perkins, Revere and Pagliuca, William. (1994) *The evolution of grammar: Tense, aspect and modality in the languages of the world*. Chicago: The University of Chicago Press.

利用したコーパス

中国哲学書電子化計画 https://ctext.org/library.pl?if=gb&node=586142&remap=gb

台湾中央研究院近代漢語語料庫

　　http://lingcorpus.iis.sinica.edu.tw/cgi-bin/kiwi/pkiwi/kiwi.sh?ukey=87031813

閩南語における進行表現の文法化のソース

Lexical sources of the progressive expressions
in the Minnan dialect

黄　小麗（復旦大学）

Xiaoli HUANG (Fudan University)

要　旨

　本稿は現代閩南語における進行表現を記述したうえ、曾南逸、李小凡（2013）と陈曼君（2017）に基づき、閩南語における進行表現の文法化のソースについて論じる。閩南語における進行表現は「介词（前置詞）在（で）＋L（只/许处ここ/そこ）＋V」構造から来るもので、（1）介词（前置詞）「在（で）」と場所指示詞の「L（只/许ここ/そこ」が省略され、「处（ところ）→咧」のような文法化のルート、そして（2）場所指示詞の「L（只/许ここ/そこ」が省略され、「在（で）＋处（ところ）→仩咧」のように二通りの文法化のルートがある。これに対して、中国語では「在（で）＋L（这里/那里ここ/そこ）＋V」構造における「L（这里/那里ここ/そこ）」が省略され、「在（で）＋V」のように文法化している。このような区別があるのは介词（前置詞）「在（で）」を省略するか否かによるものである。

キーワード：閩南語, 進行表現, 咧, 仩咧

0　はじめに

　閩南語は中国福建省南部閩南地方の方言であり、狭義には漳州、泉州、厦門などの地域の方言を指し、広義には、台湾省、広東省潮州・汕頭地方、海南省雷州半島、浙江省南部などの閩南系住民の間で話される方言を指す。また、東南アジアの華人華僑の間で広く使われているため、福建語とも呼ばれる。もっとも「閩南語」と言っても各地の差が大きく、相通じない表現もかなり多い。本稿は狭義閩南語を中心に、先行研究に基づき、閩南語における進行表現の文法化のソース

について検討しようとするものである。

1　進行表現の文法化のソース

　進行表現の文法化のソースについて諸説があるが、Bybee et al.（1994：128-129）
では、世界の言語76のうち、progressive（＝進行相）の語彙的ソースが確かめら
れた言語は47で、ソースの属性については、次のように6種類あると指摘して
いる：（1）Location（18言語）；（2）be＋Nonfinite form（6言語）；（3）Movement
（5言語）；（4）Reduplication（4言語）；（5）Other（5言語）；（6）Unknown
（9言語）。さらに、上の（1）と（2）をlocative sourcesとし、（3）と合わせ
てlocative elementと見なしている。

　このようにlocative elementが進行表現の重要なソースであることが明らかにな
っているが、中国語も例外ではない。現代中国語では進行表現は次の三通りの形
をとる：（1）「Vp+着」；（2）文末助詞「呢」；（3）「在（副詞）+Vp」「正在（副
詞）+Vp」「正（副詞）+Vp」。そのうち、（1）の「着」は「付着」を意味する動
詞から来るもので、この「付着」の意味はBybee et al.（1994）におけるMovement
に相当し、locative elementと考えることができる。「着」の前のVpは「食べる」
「走る」などのような非限界動詞を用いて進行を表すほか、結果存続も表す。（2）
の「呢」のソースについては、呂叔湘（1984）では「呢」は「哩/里」から来るも
ので、さらに「哩/里」は「在里（中にいる）」の略であるとしている。この「呢」
もBybee et al.（1994）におけるLocationにあたるもので、locative elementと考え
ることができる。また（3）の「在」は所在動詞「在（いる）」から文法化してき
たもので、（2）と同じくlocative elementと考えることができる。以上の三つをま
とめると、中国語における進行表現の文法化のソースはlocative elementから来て
いることがいえよう。

　これに対し、中国の東南方言呉語、閩語のアスペクトについては、刘丹青（1996）
は次のように指摘している。呉語、閩語の進行表現と結果存続表現はそれぞれ
ABVとVABの形式をとる。そのうち、Aは所在動詞兼介詞（前置詞）で、中国
語の「在」と同じ意味を持っている；Bは方位詞の語尾で、「这里」「那里」「歴史
上」における「里」「上」のようなものである。また、進行表現はABVのほかに、
BVの形式（つまり前置詞「在」を用いない形式）もある。このように、閩南語に

おける進行表現も中国語と同じく locative element から来ていることが言える。もっとも、閩南語の進行表現のマーカー「咧」は「在」という所在動詞から来るものではなく、空間名詞「処（ところ）」から来るところは現代中国語と異なっている。

2　現代閩南語における「咧」「佇咧」の意味と用法

現代閩南語における進行表現の代表的なマーカーは「咧」（漳州、厦門：leh；泉州：「嘞」と表記、ləʔ²）であり、このほか「佇（tɯ²²）咧」も用いられる。この節では、「咧」「佇咧」の意味と用法を記述しておく。

2.1「咧」という字について

「咧」は方言字で、「虚字」として取り扱われている。施其生（1985）では、「咧」（施の文では「𠲿」と書く）は方位を表す語素ではあるが、具体的な方位の意味を持たないため、主語または連体修飾語になれないと指摘している。中国語「上有父母，下有儿女（上には父母があり、下には子供がいる）」「里屋（中の部屋）」における「上」「下」「里」は具体的な方位の意味を持っているが、「咧」には具体的な方位の意味を持たないため、文法化しやすいとしている。

「咧」の品詞については研究者の間で意見が分かれている。林宝卿《普通话闽南方言常用词典》(2007) では「咧」の進行表現の使い方を副詞とし、結果存続表現の使い方を助詞としている。また、周长楫《闽南方言大词典》(2006) でも「咧」の進行表現の使い方を副詞としているが、結果存続表現の使い方については「動詞の後に付く」と説明するだけで、助詞であるかどうかは明記していない。詞典以外の研究論文では「咧」は「虚字」「虚词」とされることが多い。「咧」のほか、「佇咧」も進行表現のマーカーとして使われるが、その文法化の程度には地方差があり、漳州で使われる頻度が一番高い。

2.2　「咧」「佇咧」の進行表現の意味と用法

この節では李如龙（2007）、そして閩南語詞典などを参考に「咧」「佇咧」の意味用法を記述する。閩南語では共起する動詞によって進行表現のマーカーは文中における語順が異なり、主に次の三つにまとめることができる。（A）動詞が一つ

だけ現れる場合：「咧/佇咧+V+O」；（B）動詞が二つ現れる場合：「O+Ｖ１+咧/佇咧+Ｖ２」または「Ｖ１+咧/佇咧+Ｖ２+O」；（C）動詞の畳語形「V+咧+V+咧」。以下順次例を挙げて説明する。

（A）動詞が一つだけ現れる場合：「咧/佇咧+V+O」

　動詞が一つだけ現れれる場合、閩南語は現代中国と同じく「進行マーカー+V+O」、すなわち「咧/佇咧+V+O」の形式をとる。

（1）伊　　　咧　　　　写　　　　批。（林宝卿 2007：324）
　　　他　　　正在　　　写　　　　信
　　　彼　　　ている　書く　　手紙
　　　（中国語：他正在写信。）
　　　（彼は手紙を書いている。）

　時間、場所などの副詞がある場合は、普通「咧」「佇咧」の前に来て、「時間/地点状語（時間/場所を表す成分）+咧/佇咧+V+O」の語順になる。例えば、

（2）厝　　　里　　　佇嘞　　　開　　　　会。（李如龙 2007：8）
　　　屋　　　里　　　正在　　　開　　　　会
　　　部屋　　中　　ている　開く　　会議
　　　（中国語：屋里正在开会。）
　　　（部屋の中で会議が開かれている。）

　時間と場所以外の状態状語（状態連用修飾語）は「咧」「佇咧」の前後のどちらにも来ることができ、「咧/佇咧+状態状語+V+O」または「状態状語+咧/佇咧+V+O」の二通りの語順がある。また「咧」は状態状語の前と後に二回繰り返して使ってもいい。すなわち「咧/佇咧+状態状語+咧+V+O」という形をとる。

44

（3）我　暗哺　仝　樹骸　嘞　　合伊　（嘞）　行棋。（李如龙2007：8）

　　　我　傍晚　在　树下　在　　和他　（在）　下棋

　　　私　夕方　で　木の下　ている　と彼　（ている）将棋を指す

　　（中国語：我傍晚在树下在和他下棋。）

　　（私は夕方彼と木の下で彼と将棋を指している。）

　もっとも、例（3）の二つ目の「嘞」（「嘞」）のところでは「仝嘞」（「仝嘞」泉州 tɯ²²ləʔ⁰）を使ってはいけない。

（3）'*我　暗哺　仝　樹骸　嘞　　合伊　（仝嘞）　行棋。（李如龙2007：8）

　　　　　我　傍晚　在　树下　在　　和他　（在）　下棋

　　　　　私　夕方　で　木の下　ている　と彼　（ている）将棋を指す

　例（3）'の文が成立しない理由について李如龙（2007：8）は次のように説明している。"略去'仝'，留着本来就意义虚化的'嘞'，显然更加虚化，结构上也失去独立性，成为黏着成分了，至于句末时也读轻声。"（日本語訳：「仝」が省略された場合、もともと実質的な意味が薄い「嘞」だけ残され、その意味がさらに漂白し、構造的にも独立性を失い、粘着成分となり、文末における場合声調が失われ「軽声」となる。）つまり「仝嘞」は文法化の程度は「嘞」ほど高くないから、文においていろいろな制限があるわけである。

(B) 動詞が二つ現れる場合：「O＋V１＋嘞/仝嘞＋V２」または「V１＋嘞/仝嘞＋V２＋O」

　李如龙（2007）は動詞が二つ現れる「嘞/仝嘞」の使い方として、「提宾连动式（目的語前置の連動式）」と「动叠式（動詞の畳語式）」の二つの形をとるという。前者の場合は目的語がV１の前に来て、「O＋V１＋嘞/仝嘞＋V２」という形をとる（例4）。現代中国語ではこういう語順が少ない。また目的語を前に移動せず、そのまま「V１＋嘞/仝嘞＋V２＋O」の形で進行を表すこともできる（例5）。もっとも、二つの動詞の間に挟むアスペクトのマーカーは二音節の「仝嘞」より単音節「嘞」のほうがよく使われる。

（4）老倆　牛　牽　嘞　　過去　唥。（李如龙2007：8）
　　　老人　牛　牽　着　　過去　了
　　　年寄　牛　引く　ている　行く　た
　　　（中国語：老人牽着牛过去了。）
　　　（その年寄は牛を引いて過ぎ去った。）

（5）小王　坐　咧/在咧　看　册，咱　不通　吵　伊！（陈曼君2020：514）
　　　小王　坐　在那儿　看　书，我们　不要　吵　他
　　　王さん　座る　ている　　読む　本　私たち　禁止　邪魔　彼
　　　（中国語：小王坐在那里看书，咱们不要吵他！）
　　　（王さんが座って（いて）本を読んでいるから、邪魔してはいけない。）

（C）動詞の畳語形「V+咧+V+咧」

　李如龙（2007）の言う「动叠式（動詞の畳語式）」は動詞の繰り返しにより進行を表す表現である。例えば例（6）である。

（6）用　嘞　　用　　嘞　　用　了去　　唥。（李如龙2007：8）
　　　用　着　　用　　着　　用　完　　了
　　　使う　ている　使う　ている　使う　終わる　た
　　　（中国語：用着用着用完了。）
　　　（使っているうちに切れてしまった。）

　以上閩南語における進行表現は、（A）動詞が一つだけ出る場合：「咧/佇咧+V+O」；（B）動詞が二つ出る場合：「O+V１+咧/佇咧+V２」または「V１+咧/佇咧+V２+O」；（C）動詞の畳語形「V+咧+V+咧」三通りあることが分かる。なおVはすべて動作動詞である。

　また、「定定（総是，よく）」「経常（よく）」などの副詞が共起する場合、動作の反復性を表すだけでなく、話し手のほめたたえ、残念、嫌い、不満などの感情を表すことができる。（林颂育2009：54）例えば、

（7）伊　　定　　咧　　共　　我　　湊　　骹手。（林頌育2009：54）
　　　她　　経常　正在　給　　我　　帮忙　手脚
　　　彼女　よく　ている　くれる　私　手伝う　手足
　　（中国語：她経常帮助我。）
　　（彼女はよく手伝ってくれている。）

　例（7）の文は進行表現のマーカー「咧」を使わなくても成立するが、使うことにより話し手の主観的な感情を強調することができる。

2.3　「咧」「佇咧」の進行表現以外の使い方

　「咧」「佇咧」は進行表現だけでなく、結果存続表現のマーカーとしても使われ、状態性及び結果性を表すことができる。閩南語の進行表現と結果存続表現は同じアスペクト形式を取ることから、両者が一緒に取り扱われる場合が多い。次の例は存続表現の例である。

（8）伊　　倚　　咧。（林頌育 2009：54）
　　　他　　站　　着
　　　彼　　立つ　ている
　　（中国語：他站着。）
　　（彼は立っている。）

　また、「咧」がアスペクトのマーカーとしての使い方のほかに、介词（前置詞）「在」にあたる使い方もある。

（9）图　　挂　　咧　　壁　　頂。（林宝卿 2007：324）
　　　图　　挂　　在　　墙　　上
　　　絵　　かける　に　壁　　上
　　（中国語：图挂在墙壁上。）
　　（絵は壁にかかっている）

このほか、「咧」は文末終助詞的な使い方もあわせ持っている。事実の確認を表す中国語の「呢、吧、哩（ね、よ、わ）」と同じ意味合いである。

(10) 即　　只　　狗　　汝　　　牽　　　咧。(曽南逸、李小凡 2013：206)
　　　这　　只　　狗　　你　　　牽　　　着
　　　この　匹　　犬　　あなた　引く　　軽い命令
　　　(中国語：这只狗你牽着。)
　　　(この犬を引いてね。)

　このように「咧」は閩南語においてアスペクトの機能だけでなく、意味用法が多岐にわたり、空間表現から時間表現（アスペクト）へ、客観表現から文末終助詞的な主観表現へと、様々な使い方を持っている。

3　「咧」「伫咧」の文法化のソース

　第2節で見てきた通り、「咧」のアスペクトとしての使い方は動詞の前に来る場合の進行表現、そして動詞の後に来る場合の結果存続表現という二通りの使い方がある。「咧」の文法化についての研究はほとんど「咧」の結果存続表現の文法化に集中している。「咧」の結果存続表現のソースについては二説あり、杨秀芳（1992）、王建设（2004、2008）などは中国語の「著」から来たものと主張している。一方、林天送（2006）、林颂育（2010）、曽南逸、李小凡（2013）、陈曼君（2017）は「方位介词＋处所指示代词（方位前置詞＋場所指示詞）」がそのソースであるという説を持っている。

　結果存続表現に対して、進行表現の文法化に関する考察はそれほど多くない。林天送（2006）は「咧」の進行表現の文法化については、（1）動詞は動的持続動詞を使う；（2）進行表現の文法化は結果存続表現ほど発達していないため、「伫咧V」（林の文では「著咧V」と表記）の形をとる；（3）明朝の時代の閩南語による台本《荔镜记》（1566）と《满天春》（1604）には進行表現は現れていない、としている。曽南逸、李小凡（2013）と陈曼君（2020）は明と清の時代の閩南語

による台本など[1]に基づき閩南語の進行表現の文法化を考察している。以下この二本の論文に基づき、閩南語の進行表現の文法化を紹介していく。

3.1 「咧」の文法化のソース

曾南逸、李小凡（2013）では、「咧」「伫咧」（曾南逸、李小凡の文では「在咧」と表記）はそれぞれ進行表現、結果持続表現、完了表現という三つのアスペクトを表すが、その文法化ソースはいずれも方位前置詞と場所代名詞からくるため、アスペクトを一まとまりとして取り扱っている。本文ではそのうちの進行表現だけ取り上げることにする。

曾南逸、李小凡（2013：206-207）は、アスペクトを表す文法的な方法は以下の八つのパタンがあると指摘している。

（11）
1）Vp＋在＋処　　2）Vp＋処　　　3）在＋処＋Vp　　　4）処＋Vp
1）'Vp 在＋只/許処　2）'Vp＋只/許処　3）'在＋只/許処＋Vp　4）'只/許処＋Vp

（11）の「在」は所在動詞から文法化してきた前置詞で、「只/許」は「ここ/そこ」という指示詞で、「処」は「ところ」という意味である。以下曾南逸、李小凡（2013）の文であげた進行表現の用法を時代順に追っていく。

《荔鏡記》（1566 年）では（11）における 1）～4）の使用例は見つからないが、1）'～4）'の出現回数はそれぞれ
11-1）'「Vp＋在＋只/許処」2 回
11-2）'「Vp＋只/許処」6 回

---

1 曾南逸、李小凡（2013）の研究対象は《荔鏡記》（1566 年）、《満天春》（1604 年）、順治本《荔枝記》（1651 年）、道光本《荔枝記》（1831）、光緒本《荔枝記》（1884）である。陈曼君（2020）はさらにその研究範囲を拡大し、考察対象は明嘉靖本《荔鏡記》（1566 年）、明万历本《荔枝记》（1581 年）、清顺治本《荔枝记》（1651 年）、清光绪本《荔枝记》（1884 年），明万历本《金花女》《苏六娘》（刊行年代不詳），《明刊闽南戏曲弦管选本三种》（1995 年），《荔镜记荔枝记四种》（2010 年），《泉州传统戏曲丛书》（第 1-15 巻，1999-2000 年），台湾语学月刊《语苑》杂志（1910-1941 年），台湾现代闽南语故事集语料库などである。

11-3)'「在+只/许处+Vp」3回

11-4)'「只/许处+Vp」51回

となっている。そのうち 11-3)'「在+只/许处+Vp」の使用例は以下の通りである。

(12) 谁人　　知　　你　　<u>在</u>　　<u>许处</u>　坐。
　　　谁　　　知道　　你　　<u>在</u>　　<u>那里</u>　坐
　　　だれ　知る　あなた　に　　<u>そこ</u>　座る
　　　(《荔镜记・第二十二出》)（曽南逸、李小凡2013：207）
　　　(中国語：谁知道你<u>在那里坐着</u>。)
　　　(あなたがそこに座<u>ている</u>のをだれか知っている。)

11-4)'「只/许处+Vp」の使用例は以下の通りである。

(13) 益春，我　<u>只处</u>　　洗面，　　谁　　<u>许处</u>　　　看?
　　　益春，我　<u>这里</u>　　洗脸，　　谁　　<u>那里</u>　　　看
　　　益春　私　<u>ここ</u>　顔を洗う　だれ　<u>そこ</u>　　　見る
　　　(《荔镜记・第二十二出》)（曽南逸、李小凡2013：207）
　　　(中国語：益春，我<u>在这里</u>洗脸，谁<u>在那里</u>看?)
　　　(益春、私はここで顔を<u>洗っている</u>が、だれがそこで<u>見ている</u>の?)

　例(12)「座っている」は進行表現というより状態持続表現と見なしたほうがいいが、例(13)「顔を洗っている」は進行表現である。11-3)'「在+只/许处+Vp」と11-4)'「只/许处+Vp」は動詞の性質により進行または状態継続を表すことになる。両者を比べれば、11-4)'「只/许处+Vp」のほうは方位前置詞「在」を使わず「只/许处（ここ、そこ）」だけでアスペクトを表している。しかも、16世紀においてこのような使い方は51回で、ほかのパタン（それぞれ2回、6回と3回）をはるかに上回っている。この時期に進行表現のマーカー「咧」はまだ出来上がっていない。

<u>《満天春》（1604 年）</u>では（11）における 1）〜2）の使い方、そして1）'
〜4）'の使い方がある。出現回数はそれぞれ

11-1）「Vp +在+処」 1回

11-2）「Vp+処」 5回

11-1）'「Vp +在+只/许処」 2回

11-2）'「Vp+只/许処」 7回

11-3）'「在+只/许処+Vp」 2回

11-4）'「只/许処+Vp」36回となっている。

　　11-4）'「只/许処+Vp」の使い方、つまり場所代名詞だけでアスペクトを表す
使い方は、依然として高い使用率を持っている。《満天春》（1604 年）に新しく出
た 11-1）「Vp +在+処」（1回）と 11-2）「Vp+処」（5回）の例は、結果持続と
完了を表す用法だけで、進行表現の用法ではないため、ここで用例を省くことに
する。

　　<u>順治本《荔枝記》（1651 年）</u>では（11）における1）'〜4）'の使い方出現回
数はそれぞれ

11-1）'「Vp +在+只/许処」 5回

11-2）'「Vp+只/许処」 26回

11-3）'「在+只/许処+Vp」 6回

11-4）'「只/许処+Vp」 56回である。

　　また1）〜4）のうちの出現回数はそれぞれ

11-1）「Vp+在+処」 1回

11-2）「Vp+処」 25回

11-3）「在+処+Vp」 0回

11-4）「処+Vp」 4回である。

　　11-4）「処+Vp」が初めて使われるようになった。その例として、

（14）益春 哑，我 <u>処</u>　　洗面，　一 陈三 踮　処 立 看 阮…
…

　　益春 啊，我 <u>在</u>　　洗脸， 那 陈三 在 那儿 站着 看 　我

51

益春　よ　私　<u>ている</u>　顔を洗う　あの　陳三　いる　そこ　立つ　見る　私
　　（順治本《荔枝记・代捧盆水》）（曽南逸、李小凡 2013：209）
　　（中国語：益春啊，我<u>在</u>洗脸，那陈三呆在那儿站着看我……）
　　（益春よ、私は顔を洗っ<u>ている</u>けど、あの陳三はそこに立ってこっちを見て
いる……）

　　例（14）「我<u>处</u>洗面」における「处」は場所名詞であるとともに、進行表現のマー
カーととらえてもいい。この例は順治本《荔枝记》（1651 年）の例であるが、百
年余り前同じ内容の台本《荔镜记》（1566 年）と比べると、例（13）「我只处洗面」
の使い方となっており、百年のあまり、指示詞が使われなくなるわけである。

　　<u>道光本《荔枝记》（1831 年）/光绪本《荔枝记》（1884 年）</u>は（11）における 1）'
～4）'の使い方出現回数はそれぞれ
11-1）'「Vp +在+只/许处」　1 回／3 回
11-2）'「Vp+只/许处」17 回/16 回
11-3）'「在+只/许处+Vp」　4 回／4 回
11-4）'「只/许处+Vp」55 回/63 回である。
　　また 1）～4）のうちの出現回数はそれぞれ
11-1）「Vp +在+处」　0 回／0 回
11-2）「Vp+处」30 回/31 回
11-3）「在+处+Vp」　1 回／1 回
11-4）「处+Vp」20 回/17 回である。
　　11-4）「处+Vp」の使用回数がますます増えて、進行表現のマーカーとしての
用法が一層目立っている。
　　以上のデータをまとめると、次の表 1 の通りになる。

表1 閩南語台本におけるアスペクトの出現回数

アスペクト形式	台本におけるアスペクトの出現回数			
	1566 年	1604 年	1651 年	1831/1884 年
	《荔镜记》	《满天春》	順治本《荔枝记》	道光本《荔枝记》/光绪本《荔枝记》
1)' Vp 在+只/许处	2 回	2 回	5 回	1 回/3 回
2)' Vp+只/许处	6 回	7 回	26 回	17 回/16 回
3)' 在+只/许处+Vp	3 回	2 回	6 回	4 回/4 回
4)' 只/许处+Vp	51 回	36 回	56 回	55 回/63 回
1) Vp +在+处	0 回	1 回	1 回	0 回/0 回
2) Vp+处	0 回	5 回	25 回	30 回/31 回
3) 在+处+Vp	0 回	0 回	0 回	1 回/1 回
4) 处+Vp	0 回	0 回	4 回	20 回/17 回

（曾南逸、李小凡 2013：211 による）

　表1から分かるように、閩南語のアスペクト表現における「在」の使用率はそれほど多くはない。むしろ場所を表す「処（ところ）」がVpの前か後に来て、進行表現、結果持続表現、完了表現という三つのアスペクトを表すことが多い。このような「Vp 処」と「処 Vp」は現代閩南語の「咧」と「咧 Vp」と文法的に同じ位置に来ている。そのため、曾南逸、李小凡（2013）は閩南語「咧」の文法化のソースは「在」ではなく、「処」であると主張している。陈曼君（2020）もこれに賛成し、「処」の進行表現の使い方は順治本《荔枝记》（1651 年）に始まると指摘している。

(15)　谅　　伊　　去　　　未　　若　　　远，句　在　许　戏房　内
　　　估计　他　离开　没有　那么　远　还　在　那　戏房　内
　　　たぶん　彼　離れる　まだ　そんなに　遠い　まだ　に　その　劇場　中
　　　<u>处</u>　　　　坐。(清顺治本《荔枝记》30.079-080)(陈曼君 2020：528)
　　　在　　　坐
　　　<u>ている</u>　　座る
　　　(中国語：估计他还没有走多远，还<u>在</u>那戏房里坐。)
　　　(たぶん彼はまだそれほど遠く離れていない。まだその劇場に座っているだ
ろう。)

　例(15)における「<u>在</u>许戏房<u>内</u>」はすでに場所を表す方位前置詞「在」と方位
詞「内」があるから、そのあとに来る「处」は場所名詞ではなく、アスペクトの
役割を果たすことであると言える。もっとも、この時期の「处」はまだ場所名詞
の名残があり、場所名詞としての用法かアスペクトの用法か、どちらにも取れる
ような例がある。例えば、

(16)　官人　持　银　　赏　　　我　买　酒，正　　共　长解
　　　官人　拿　钱　　赏　　　我　买　酒　正　　和　长解
　　　主　くれる　お金　与える　私　買う　酒　まさに　と　長解
　　　<u>处</u>　　　　　　把盏……
　　　<u>在/在那里</u>　　　喝酒
　　　<u>ている/のところで</u>　酒を飲む
　　　(万历本《荔枝记》45.074-076)(陈曼君 2020：528)
　　　(中国語：官人拿钱给我买酒，我正跟长解在/在那里喝酒……)
　　　(主からお金をもらって酒を買ってきて、長解(のところで)と酒を飲んで
いる。)

　例(16)「正共长<u>解处</u>」におけるは「处」は場所名詞としての意味、つまり「长
解のところで」と解釈することができる。一方、「共长解」(長解と一緒に)とい
う表現があるから「处」は進行表現と捉えてもいい。顺治本《荔枝记》(1651年)

における「処+Vp」は４例あるが、そのうちの３例は進行表現と場所名詞のどちらの意味にも解釈することができる。文法化理論では、もともとの表現と新しい表現が機能を違えて共存している状況は、重層化 (layering) というが、この時期の「処」はまさに場所名詞としての用法とアスペクトとしての機能が共存している段階にあると言える。

　清末の時期、「処」の使い方に大きな変化が起こり、「処」と共起する動詞は動作動詞だけではなく、存在動詞、心理動詞、そして形容詞などにその使用範囲を広げていった。また、時間副詞とも共起しはじめ、空間的な意味から時間的な意味へと文法化が進んでいる。例えば、

(17) 阮　目前　<u>処</u>　　　无　米, 不免　　共　伊　提　　金　齐。
　　 我　目前　<u>正</u>　　　没　米　免不了　向　他　拿　　金子　一下
　　 私　いま　<u>ところ</u>　ない　米　免れない　に　彼　もらう　金　ちょっと
　　 （清抄 "旦簿"《苏秦・提灯》）（陈曼君 2020：529）
　　 （中国語：我目前<u>正</u>没有米，免不了向他拿点金子。）
　　 （私は今米がない<u>ところ</u>だから、彼にお金をもらうしかない。）

　例 (17)「目前<u>処</u>无米」における「処」は場所の意味が薄れ、「ちょうど～という状態」という意味を持っている。「无米（米がない）」は動作ではなく、状態を表す。

　このほか、「処」のアスペクト用法がさらに発展して、意志を表す助動詞「卜（よう）」の前に来て、何らかの動作をしようとする意志を表す。例えば、

(18) 我　<u>処</u>　　　　卜　啼，　你　　　<u>処</u>　　　　卜　笑。
　　 我　<u>正</u>　　　　想　哭　　你　　　<u>正</u>　　　　想　笑
　　 私　<u>直前の場面</u>　しよう　泣く　あなた　<u>直前の場面</u>　しよう　笑う
　　 （清代手抄残本《朱文・走鬼》）（陈曼君 2020：529）
　　 （中国語：我正要哭，你却要笑。）
　　 （私が泣こうとするところを、あなたが笑おうとしている。）

例 (18) における「処」は意志を表す助動詞「卜（よう）」と共起し、動作が始まる直前の場面を表す。「処卜」は日本語の「〜しようとするところ」によく似たような使い方である。

例 (17) と例 (18) が示した通り、「処」と共起できる動詞はもともとの動作動詞から存在動詞、心理動詞、または形容詞などに拡大し、さらに意志を表す助動詞とも共起できるようになり、文法化がますます進んでいる。これと同じ時期に、「処」と同じようなアスペクト用法を持つ「咧」が登場するようになった。陈曼君 (2020) によれば、清の末期ごろ、泉州の閩南語台本における「咧」の使用回数は「処」ほどではないが、かなり使われているという。両者の使用回数以下の表2の通りである。

表2《泉州传统戏曲丛书》第三卷〜第七卷における清の時代のアスペクト用法

アスペクト形式	処/咧 Vp	Vp 処/咧	在処/在咧 Vp	Vp 在処/在咧	Vp1 処/咧 Vp2	Vp1 在処/在咧 Vp2
出現回数	59 回/20 回	22 回/8 回	19回/7 回	2回/0 回	15回/6 回	0回/0 回

(陈曼君 2020：529 による)

表2から分かるように、清の末ごろアスペクトの用法において、「処」の使用率は「咧」を上回るが、「咧Vp」の使用回数が20回というところをみると、「咧」のアスペクト用法は定着しつつある段階にあることが分かる。また、「処Vp」の文法化が進むにつれ、場所名詞の「処」は依然として「処」と書くが、アスペクト用法の「処」は「咧」に取って代わられ、発音も表記も異なってきた。その例として、

(19) 益春， 許<u>処</u>　人　<u>咧</u>　　賞　鰲山……

　　　益春　那里　　人　<u>在</u>　　賞　鰲山

　　　益春　そこ　　人　<u>ている</u>　見る　鰲山

　　　《陈三・第二出》1952 年)（曾南逸、李小凡 2013：211)

（中国語：益春，<u>那边</u>人们在赏鳌山……）

（益春、<u>そこ</u>で人々が鳌山を見<u>ている</u>……）

　例（19）において、場所名詞の「処」は依然として「処」と書くが、進行表現は「処」ではなく、「咧」によって表記されている。また、「処Vp」における「処」の文法化に、さらに「咧」が進行表現のマーカーとして定着するにつれ、もとの「Vp処」における「処」の発音にも変化が起こり、進行表現としての音声変化は「[tə⁵⁵] ＞ [lə55] ＞ [lə?55]」というルートを辿ってきた。（曾南逸、李小凡2013：212）そして、この音声変化に伴い、漢字表記も「処」から「咧」に変更し、現代閩南語に至っては、「咧」は進行表現のマーカーとして完全に定着している。

3.2　「伫咧」の文法化のソース

　「咧」が閩南語の代表的な進行表現のマーカーであるのに対して、「伫咧」は地方差があり、「咧」ほど普及していない。漳州ではよく使われているが、泉州、厦門では「咧」はあまり使われない。「伫咧」は「在処」から文法化した用法で、3.1節の表1（曾南逸、李小凡、2013）の統計では、「在+処+Vp」の初出は道光本《荔枝记》（1831年）/光绪本《荔枝记》（1884年)で、しかも1回しか使われていない。陈曼君（2020）では、「在処」の文法化が進んでいるのは清の末期ごろのことであると指摘している。この時期「在処」はよく意志を表す助動詞「卜（よう）」、心理動詞、そして時間詞と共起し、使用範囲を拡大している。例えば、

(20) 亲姆　　呵, 你　　子　　<u>在処</u>　　　卜　　度　　　你　　　食,
　　　亲家　　啊　你　　儿子　<u>正在</u>　　　想　　给　　　你　　　吃
　　　相親家　よ　あなた　息子　<u>直前の場面</u>　よう　あげる　あなた　食べる
　　　你　　　未就　该　　食　　齐……
　　　你　　　就　　应该　吃　　一下
　　　あなた　順接　べき　食べる　みる
　　　（清抄全本《苏秦・亲姆打》）（陈曼君2020：532）
　　　（中国語：亲家呀，你的儿子<u>正</u>想要给你吃，你就在他那里吃一下……）
　　　（お母さん、息子さんが食べさしてあげようと思っ<u>ている</u>から、食べてみよ

うよ……）

(21) 我　　知　　　你　　許　　　心　　内　　<u>在処</u>　　　思，
　　　我　　知道　　你　　那　　　心　　里　　<u>正在</u>　　　想
　　　私　　分かる　あなた　その　心　　内　　<u>ている</u>　思う
　　　卜　　共　　你　　媳妇　相争　婿，　羞羞　　　　齐。
　　　要　　和　　你　　媳妇　相争　夫婿　羞羞　　　　脸
　　　よう　と　　あなた　嫁　争う　　婿　恥ずかしい　顔
　　　（清抄全本《苏秦・当绢》）（陈曼君 2020：526）
　　　（中国語：我知道你心里是<u>在</u>想，要跟你媳妇抢夫婿，羞羞脸。）
　　　（あなたの心の中で嫁と婿を争おうなんて恥ずかしいと思っ<u>ている</u>のが分
かっている。）

(22)　……那　　因　　許　　一日　　是　　天　　降　　　大　　　霜雪，
　　　那　　因为　　那　　一天　　是　　天　　降　　　大　　　霜雪
　　　その　わけ　あの　日　　判断　空　　降る　大きい　雪あられ
　　　我　爹　　同　我　妈亲　<u>在処</u>　围　炉　　饮　　酒……
　　　我　爸爸　和　我　妈妈　<u>正在</u>　围着　炉子　喝　　酒
　　　私　父　　と　私　母　　<u>ている</u>　囲む　囲炉裏　飲む　酒
　　　（清抄“旦簿”《吕蒙正・验脚迹》）（陈曼君 2020：532）
　　　（中国語：……那是因为那一天是天降了大霜雪，我爸爸跟我妈妈<u>正</u>围着炉子
喝酒……）
　　　（……それはその日に雪あられが降り、父と母が囲炉裏を囲んでお酒を飲ん
<u>でいる</u>から……）

　　上の例（20）は「在処」と意志を表す助動詞「卜（よう）」と共起し、動作が始
まる直前の場面を表す。例（21）ではすでに「心内」という空間詞が使われてい
るから、そのすぐ後に来る「在処」は場所を表す意味ではなく、アスペクトを表
す機能であることが明らかである。そのうえ「想（思う）」という心理動詞が使わ
れ、動詞の範囲が一層拡大している。例（22）では「在処」は「許一日（あの日）」

という時間名詞と共起し、進行を表している。このように「在処」の文法化が進み、清の末期ごろ「処」と同じように「在処」の表記が「在咧」に変わりつつある。表2が示した通り、清の時代の泉州閩南語台本における「在処 Vp」の使用回数 19 回であるのに対して、「在咧 Vp」は7回である。

以上、曽南逸、李小凡（2013）と陈曼君（2020）に基づき閩南語の進行表現のマーカー「咧」と「伫咧」の文法化を見てきた。前者のソースは場所名詞「処（所）」で、閩南語の代表的な進行表現のマーカーである。後者のソースは「在処（所在動詞兼前置詞+所）」で、閩南地方のうち漳州の方言で使われることが多い。総じていえば、両者はいずれも Bybee et al. (1994) が指摘した locative element である。

4 閩南語の「咧」「伫咧」と中国語の「在」

現代中国語における代表的なマーカーは「在」で、方位を表す構造「在（所在動詞兼前置詞）＋L（这里/那里ここ/そこ）＋V」から来たものであるが、文法化の段階において消失してしまうのは L の部分であって、「在」ではない。高増霞（2005）では、中国語のような連動構造を持つ SVC 言語（serial verb constructions languages）は、所在動詞とほかの動詞が同じ文で共起する場合、所在動詞の意味が薄れて介词（前置詞）に文法化し、さらには文法化が進むにつれて所在動詞から発展してきた介词（前置詞）がアスペクトの用法を持つようになる、という SVC 言語の類型学的特徴を持っているとまとめている。唐から清の時代まで、専門的な進行表現のマーカーがまだ出来上がっていないため、進行表現は方位構造、つまり「在（所在動詞兼前置詞）＋L（这里/那里ここ/そこ）＋V」構造によって表すという。清の時代以降、「在（所在動詞兼前置詞）＋L（这里/那里ここ/そこ）＋V」における「L（这里/那里ここ/そこ）」の「这/那」が省略されて「在（所在動詞兼前置詞）＋L（里ここ/そこ）＋V」となり、さらに「在＋V」に文法化されたものである。（涂柳、2012）

閩南語の「咧」「伫咧」と中国語の「在」を比べれば、両方とも「在（所在動詞兼前置詞）＋L（这里/那里ここ/そこ）＋V」という構造から来るものであるが、閩南語では、（1）「在（所在動詞兼前置詞）」と場所指示詞の「L（只/許ここ/そこ」が省略され、「処（ところ）→咧＋V」のように文法化している；（2）場所指示詞の「L（只/許ここ/そこ」が省略され、「在（所在動詞兼前置詞）＋処（と

ころ) →ㄣ咧＋V」の二通り文法化している。これに対して、中国語では「L（这里/那里ここ/そこ）」が省略され、「在＋V」のように文法化している。両者の区別は前置詞「在」を省略するか否かという点にある。なぜ閩南語では主にLから文法化してきた「咧」を、中国語では所在動詞兼前置詞から文法化してきた「在」をそれぞれ進行表現のマーカーとするのかは、介詞（前置詞）の性質と大きくかかわっており、介詞は文において必要不可欠な成分ではないからである。

4.1 中国語における「在」の隠現（「在」の隠れ現れ）

　介詞（かいし）とは、動詞の前後に来て、時間、場所、方式、目的、原因、対象、比較などの意味を表す文法的機能語であり、日本語の格助詞に対応することが多いが、独自の体系を持つ格助詞とは異なり、動詞から転じて来たものが多い（在、去、到、跟、用、比、給など）ため、動詞兼介詞の場合が多い。方位構造を表す介詞については、呂叔湘（1980：8）では次のように述べている。"別的语言里的'介+名'短语，汉语里一般用'介+名+方'来说，有时候可以不用'介'，但是不能没有'方'，例如，英语的'in the room'，汉语里的说法是'在屋子里'，或者'屋子里'。"（日本語訳：別の言語における「介詞+名詞」の文は、中国語では普通「介詞+名詞+方位詞」の形を取り、「介詞」を使わなくてもいい場合があるが、「方位詞」は必要不可欠な成分である。例えば、英語の「in the room」という文は、中国語では「在屋子里」、または「屋子里」という二通りの言い方がある。）すなわち、介詞「在」を用いなくても文が成立することができる。これを「介詞的隠現（介詞の隠れ現れ）」という。

　介詞「在」が文中に隠れるか現れるかは、一定の制限がある。儲沢祥（1996：35）では、次の四つの要素を挙げている。（1）処所的音節数量（場所を表す語の音節数）。単音節の場合、「在」を使わない。（2）処所的結構類型（場所を表す文の構造類型）。例えば、機関名を表す場合、「在」を使わなければならない。（3）句子的内部結構（文の内部構造）。例えば、「L+S」文において形容詞が現れる場合、「在」を使わない。"在我们这里人手少（我々のところでは人手不足"という例である。（4）"在"的涵盖义（「在」の場所の範囲を強調する機能）。「在」を使うことにより、場所の範囲を強調したり、文の順接、逆接、説明などをしたりすることができる。また儲沢祥（1996）は、文の頭に来る「在」は省略することが

多いという。

　このほか、林齐倩（2004）は「在」が「方法」を表す機能と似たような使い方
の場合省略してもいいと指摘している。例えば "我在网上告诉你（ネットで知ら
せよう）" のような文では「在」を使わなくてもいい。また、話し言葉的で未然の
祈使句（命令文）の場合も「在」は省略しやすい。例えば、

(23) 咱们　　在　屋里　　谈。(林齐倩2004：42)
　　　私たち　で　部屋の中　話しましょう
　　　（部屋の中で話しましょう。）

　例（23）のように、命令、禁止、要求、勧誘、依頼などを表し、聞き手に行動
を促す場合、「在」は省略することが多い。
　以上の内容をまとめると、中国語において前置詞「在」は省略できる場合とで
きない場合があるが、場所の範囲を強調する場合は「在」を使わなければならな
いのに対し、話し言葉における命令文などは省略することが多い。「在（所在動詞
兼前置詞）＋L（这里/那里ここ/そこ）＋V」という構造では動作が行われる場所
を強調するため「在」は省略せず「在＋V」という進行表現に文法化している。

4.2 閩南語における「在」の隠現（「在」の隠れ現れ）

　閩南語においても前置詞「在（で）」を使う場合と使わない場合があるが、方言
としては話し言葉的な存在であるため、「在（で）」を省略することが多い。陈曼
君（2020）では、「只处（ここ）」「许处（そこ）」にはそもそも前置詞「在（で）」
「从（から）」の意味が含まれており、場所代名詞だけで文が成立することが多い
と説明している。「在（で）」を用いる場合は、語用的な意味で動作または状態の
発生する場所を強調する役割を持っている。順治本《荔枝记》（1651 年）におい
て、「在（で）」を使う例と使わない例が同じ文に現れることがある。

(24) 伊　今　许处　被　　云　遮，我　在　只处　隔　　山领。
　　　他　现在　那里　被　　云　遮　我　在　这里　隔　　山岭
　　　彼　いま　そこ　受け身　雲　遮る　私　で　ここ　隔てる　連峰

61

（順治本《荔枝记》，31. 005-007）（陈曼君 2020：524）

（中国語：他<u>那里</u>现在被云遮住，我<u>在这里</u>隔着山岭。）

（彼はいま<u>そこで</u>雲に遮られるていが、私は<u>ここで</u>連峰に隔てられている。）

　例 (24) の示した通り、「在（で）」のような前置詞は閩南語において必ずしも必要な成分ではない。歴史的に見れば、「在（で）」を含まないアスペクト表現の使用回数は「在（で）」を含むアスペクト表現よりも多い（4. 1節の表1）。

　このように、閩南語の「在（で）＋L（只/许处ここ/そこ）＋V」構造では：（1）介词（前置詞）「在（で）」と場所指示詞の「L（只/许ここ/そこ」が省略され、「処（ところ）→咧」のような文法化のルート、そして（2）場所指示詞の「L（只/许ここ/そこ」が省略され、「在（で）＋処（ところ）→佇咧」のような文法化のルートがある。これに対して、中国語では「在（で）＋L（这里/那里ここ/そこ）＋V」構造における「L（这里/那里ここ/そこ）」が省略され、「在（で）＋V」のように文法化している。

5　まとめ

　閩南語「咧」「佇咧」の文法化のソースはそれぞれ「処（ところ）」と「在（で）＋処（ところ）」である。これはBybee et al. (1994) が指摘した locative element、そして刘丹青（1996）が指摘した ABV と VAB（A は中国語の所在動詞「在」から来るもので、B は方位詞の語尾である。また BV の形式もある。）と同じように、方位構造から来るものである。もっとも、中国語では介词（前置詞）「在（で）」が省略されないのに対して、閩南語では介词（前置詞）「在（で）」が省略される場合がある。それは話し言葉的な方言閩南語では、介词（前置詞）を用いず、場所名詞だけで動作の行われる場所を表すことができるからである。

参考文献

陈曼君. 闽南方言持续体标记 "咧" 的来源及其语法化[J]. 语言科学, 2017, 16 (04)：384-405.

陈曼君. 闽南方言进行体标记的来源及其语法化——兼论进行体标记和持续体标记之间的关系[J]. 语言科学, 2020, 19 (05)：511-541.

储泽祥."在"的涵盖义与句首处所前"在"的隐现[J].汉语学习,1996(04):33-36.

高增霞.处所动词、处所介词和未完成体标记——体标记"在"和"着"语法化的类型学研究[J].中国社会科学院研究生院学报,2005(04):68-73+142-143.

李如龙.泉州方言的"体"[A].李如龙著.《闽南方言语法研究》[C].福州:福建人民出版社,2007:1-29.

林宝卿.《普通话闽南方言常用词典》[Z].厦门:厦门大学出版社,2007.

林齐倩.介引处所的介词短语"在NL"[D].苏州大学,2004.

林颂育.异源同型语素的辨析——以闽南方言多功能虚字眼"咧"为例[A].福建省辞书学会第五届会员代表大会暨第十九届年会论文集[C],2009:54-60.

林颂育.试论闽南话持续体标记的来源[J].语言科学,2010,9(04):386-393.

林天送.泉州方言语法四百年的演变[D].厦门大学,2006.

刘丹青.东南方言的体貌标记[A].张双庆主编《中国东南部方言比较研究丛书(第二辑)·动词的体》[C].香港:香港中文大学中国文化研究所吴多泰中国语文研究中心,1996:9-33.

吕叔湘.释景德传灯录在、著二助词[A].吕叔湘.汉语语法论文集(增订本)[C].北京:商务印书馆,1984:58-64.

吕叔湘.《现代汉语八百词》[Z].北京:商务印书馆,1980。

施其生.闽、吴方言持续貌形式的共同特点[J].中山大学学报(哲学社会科学版),1985(04):132-141+131.

涂柳.副词"在"从哪里来[J].海南大学学报(人文社会科学版),2012,30(02):53-57.

王建设.从明清闽南方言戏文看"著"的语法化过程[J].华侨大学学报(哲学社会科学版),2004(03):128-132.

王建设.再论泉州话完成体和持续体助词[lə]的来源[A].汉语方言语法新探索——第四届汉语方言语法国际研讨会论文集[C].2008:96-101.

杨秀芳.从历史语法的观点论闽南话"著"及持续貌[J].汉学研究,1992:349-394.

曾南逸、李小凡从明清戏文看泉州方言体标记"咧"的语法化[J].中国语文,2013(03):205-214+287.

周长楫.《闽南方言大词典》[Z].福州:福建人民出版社,2006.

Bybee, J., Perkins, R., and Pagliuca, W. (1994). The evolution of grammar: Tense, aspect, and modality in the languages of the world. Chicago: University of Chicago Press.

チワン語の時の表現

Expressions of time in Zhuang language

黄　海萍（国立国語研究所）

Haiping HUANG (NINJAL)

要　　旨

　本稿の目的は、チワン語の時の表現を考察し、チワン語の時間詞、それに共起する動詞や動詞助詞およびその他の語句が異なる統語環境にある場合の意味・機能を明らかにすることである。分析の結果、以下の3点が明らかになった。第一に、チワン語龍茗方言にはアスペクトという文法範疇はあるが、テンスという文法範疇はない。第二に、時間詞の出現位置は、文頭、および動詞の前と動詞の後に大きく分けられる。文頭に現れる時間詞は主語に先行して、話し手が語る事象の起きる時間を設定する機能を持つ。動詞の前の時間詞は、出来事の起きた・起きる時点を副詞的に修飾する。動詞の後の時間詞は話し手が語る出来事の期間・期限、具体的な期間内に起こる頻度を表す。第三に、アスペクト形式は、動詞助詞が動詞の前につく「未然、未達・将然、始動、依然」と、動詞助詞が動詞の後につく「終結、経験、持続」とに分けられ、進行表現は文脈によるか、時間詞を明示することが必要である。

キーワード: チワン語，時の表現，時間詞，アスペクト，アスペクト標識

1　はじめに

　本稿[1]の目的は、チワン語南部方言の一つ、中国南部に位置する広西チワン族（壮族、Zhuang）自治区の崇左市天等県龍茗鎮東南村逐伏屯で話されてい

---

[1] 本研究は、科研費若手研究「消滅危機言語としてのチワン語諸方言の記述的研究」（課題番号：JP22K13122）および国立国語研究所「消滅危機言語の保存研究」プロジェクト（プロジェクトリーダー：山田真寛）の助成を受けたものである。

るチワン語龍茗方言（以下、龍茗方言）の時の表現を記述することである。

チワン語のテンス、アスペクト特性に関わる文法現象およびチワン語の時間詞の関係（これを「時の表現」と呼ぶことにする）については、未だ明らかにされていない。本稿では龍茗方言における時の表現を詳細に取り上げ、その時の表現の構造を明らかにすると共に、それらの表現に用いられる時間詞[2]、動詞助詞[3]、アスペクトに関わる表現について考察を行う。

本稿の構成は以下の通りである。第1節では、本稿の目的、先行研究、研究データおよび対象言語である龍茗方言の形態統語的特徴について述べる。第2節では、龍茗方言の時間詞、それらの時間詞を用いた時の表現を概観し、時の表現の特徴および構造を明らかにする。第3節では、龍茗方言の時の表現に用いられる動詞助詞、アスペクトに関わる表現について考察する。第4節では、本稿の結論および今後の課題について述べる。

本稿の表記は、黄（2018）の音素表記に従い、声調を示す1〜5の数を音節ごとに付す。単語や例文に使用する「　」内は日本語訳、（　）は省略可能な要素、【　】は補足文脈、斜線は同じ意味、下線は注目すべき時の表現を示す。

1.1 先行研究

従来のチワン語文法研究の主要文献には、広西僮文工作委員会研究室・中国科学院少数民族語言調査第一工作隊編（1957）、韋（1985）、張・覃（1993）、韋・覃（2006）、韋・何・羅（2011）、韋（2014）、晏（2018）などがある。これらの文献では、名詞、名詞句、動詞句の分類の際に時間詞について言及しているが、時の表現に関する詳細な分析はなされていない。韋（2021）では、北部方言の一つ、広西チワン族自治区来賓市武宣県の思労村方言における時間名詞を初めて体系的に取り上げ、時間名詞を年、月、日、季節、時刻、非明示的なものの6種類に分類した上で、一部の時間名詞の語形成、統語的位

---

[2] 本稿でいう「時間詞」は、時間名詞、時間副詞および時間を表す動詞句を含む。詳細は2.1節を参照のこと。
[3] 動詞助詞とは、動詞の前後に付属する文法的な機能を担う語類を指す。動詞助詞は動詞の項になることはできないことや副詞のような連用修飾機能を持たないという特徴を持つ。

置と意味、語用論の観点から概観している。しかし、時に関わる表現に現れる時間詞の情報構造上の役割、共起する動詞、動詞助詞およびアスペクト形式などは扱われていない。

1.2 研究データ

本稿で用いるデータは、特に出典を示すものを除き、すべて筆者自身が採集したフィールドデータである。例文は自然談話からの抜粋、または龍茗方言母語話者である筆者の内省による作例である。作例は他の母語話者にもその許容度を確認した。自然談話からの例文の場合はなるべく文全体を使用するが、長い場合は適宜、切れ目のあるところ（節境界など）で切る。また、先行研究で言及のある例文については、文脈を含めて筆者の内省で判断した上で、他の母語話者にも確認してその許容度を確かめた。本稿の調査に協力してくださった母語話者は6名（男性3名、女性3名）である。その内、話者F1（女性、1941年生）は龍茗鎮三北村で生まれ育ち、20歳で龍茗鎮東南村に嫁いだ。話者F2（女性、1967年生）、話者F3（女性、1969年生）、話者M1（男性、1962年生）、話者M2（男性、1971年生）、話者M3（男性、1986年生）は全員龍茗鎮東南村の生まれ育ちである。全ての話者は龍茗方言地域の出身で、お互いに方言差はないと考えてよい。

1.3 チワン語の形態統語的特徴

チワン語は、言語系統上タイ・カダイ語族のタイ（Tai）諸語に属する。チワン語は北部方言と南部方言に大別され、北部方言は北部タイ諸語（Northern Tai）、南部方言は中央タイ諸語（Central Tai）に分類される（Li 1977、張均如等 1999）。チワン語は形態論的には孤立語であり、語の形態変化を持たない。「主語＋動詞（＋目的語）」SV(O)語順を基本語順とする。情報構造上、主語＝主題（文主題）は一義的な参与者として叙述動詞の前に、「目的語」は二義的な参与者として叙述動詞の後ろに現れる。被修飾語は修飾語の前に現れ、「被修飾語＋修飾語」のNA型である。また、意味・統語上の必須項の「省略」を許す言語である。詳細については黄（2021）、（2022）を参照のこと。

2 チワン語の時の表現の概観

　チワン語は文法範疇として過去・現在・未来を区別する文法的な手段を持たない。日本語にみられる「している」と「する」、「していた」と「した」のような形式の対立も持たない。しかし、時間情報を担う時間名詞、副詞や助詞が存在し、これらの組み合わせや入れ替えにより詳細な時間情報の表出が可能になっている。本節では、龍茗方言の「いつ」を表す語彙形式、即ち「時間詞」の中から、発話時現在を基点として用いる直示的な時点表現の形式を取り上げ、龍茗方言の時の表現の特徴を明らかにする。

2.1　チワン語の時間詞

　龍茗方言には、さまざまな時に関わる語彙がある。以下では、本稿でいう「時間詞」を定義し、その分類および機能を確認する。

2.1.1　時間詞の定義

　韋・何・羅（2011：90）は、チワン語文法の品詞として、次のような意味および文法的機能を持つ名詞の一部を「時間詞」と呼び、「主語（主題）、述語になりうること、連体修飾機能を持つこと、数詞による修飾が可能であることという名詞としての性質に加え、出来事が起きた時間を示す状況語として機能するもの」と定義している。

　上記の定義には、連用修飾機能または文修飾機能を持つ副詞類（これを「時間副詞」と呼ぶ）や時間を表現する動詞句は含まれない。そこで本稿では、出来事の生起する時点（time point）と時間の幅（time period）を表す名詞（句）に加え、時間の経過による変化を表す副詞類と時間を表現する一部の動詞句を含めて「時間詞」と呼ぶ。また、出来事の生起する時点（time point）と時間の幅（time period）を表す名詞（句）を時間名詞と呼ぶことにする。

2.1.2　時間詞の種類と機能

　本節で、龍茗方言の時間詞を時間名詞、時間副詞、時間を表現する動詞句を分けて考察すると同時に、それぞれの時間詞の機能を簡単に触れる。

2.1.2.1　時間名詞とその機能

　まず、時間名詞を分類してその性質と機能を考察する。韋（2021:12-13）は、太陽や月などの天体の動き、人為的な規定、経験的な事象、発話時間との関係性に基づく 4 つの基準により、来賓市武宣県のチワン語思労村方言の時間名詞⁴を分類している。本稿では、意味分類を基準にして時間名詞を表 1 のように分類する。時点（time point）は出来事の生起する時点を表す名詞（句）、時間の幅（time period）は出来事の生起する時間の幅を表す名詞（句）を指す。

表 1　龍茗方言の時間名詞の分類

分類	意味
時点 (time point)	(i)　発話時点「いま」を中心に時を指定するもの。
	(ii)　時点を直接指定するもの。
	(iii)　発話時点「いま」とは独立しても出来事を参照時において位置付けることができるもの。
時間の幅 (time period)	(iv)　明確な時間の長さを表すもの。
	(v)　不明確な時間の長さを表すもの。

　表 1 から分かるように、時点を指定する時間名詞には、(i)、(ii) と (iii) の 3 種類の時間名詞がある。

　(i) 発話時「いま」を中心に直示的（deictic）に時を指定するものは、(muː4) kʰaː1 koːn3「（大）昔」、ʔiː5 raj5「さっき」、wan2 waː2「昨日」、wan2 neː4「今日」、wan2 pjuk4「明日」、pɣj1 neː4「今年」、pɣj1 naː5「来年」、kiː5 pɣj1 kʰaː3 koːn3「数年前」、θoːŋ1 pɣj1 ʔɣm「2 年後」などがある。

　(ii) と (iii) は非直示的（non-deictic）時間詞を指定するものである。(ii) 時間を直接指定するものは、θip4 tiːm5「10 時」、ʔɣː3 liŋ2 liŋ2 neːn2「2022 年」、ŋoː5 ŋuːt4 cʰoː1 ʔjat4　「5 月 1 日（旧暦）」、kjɣw1 je:2 ɲiː4 ɲɣj4「9 月 22 日（西暦）」、wan2 toːŋ1/ toːŋ1 cɣj3「冬至」などがある。

---

⁴ 韋（2021:15）は時間名詞を「時間の名称を表すすべての名詞」と定義し、時間の幅を示す語（句）が含まれていない。

（iii）発話時「いま」と独立させても出来事を参照時において位置付けることができるものは、cʰɤn1 tʰi:n1「春」、θɤj3 ʔan2 ki:5 ce:2「四つの季節（四季）」、wan2 fauɥ4「市場の日」、cɤw3 ta:j4 ɲɤj4「翌週」などがある。

　一方、時間の幅を指定する時間名詞には、（iv）と（v）の2種類に分けることができる。（iv）明確な時間の長さを表すものは、pe:t3 ʔan co:ŋ1 (tʰaw2)「8時間」、wan2「（一）日」、θa:m1 wan2「3日間」、cɤw3 ʔo:2/ɗe:w2「1週間」、ha:5 ɓɯ:n2「5ヶ月」、pjo:ŋ4 pɤj1 (ʔo:2/ɗe:w2)「半年」、pɤj1「（一）年」、pa:k3 pɤj1 (ʔo:2/ɗe:w2)「100年」、θo:ŋ1 kʰu:p3「2歳」、θo:ŋ1 cʰaj3「二世代」などが挙げられる。

　（v）非明確な時間の長さを表すものには、ɓa:t3 ɗe:w2「1回＝ちょっと（感覚的に非常に短い時間を表す）」、θo:ŋ1 ɓa:t3「2回＝ちょっと（感覚的にやや短い時間を表す）」、ki:5 ɓa:t3「数回＝ちょっと（感覚的に短い時間を表す）」、ʔi:5 can3 ʔo:2/ɗe:w2「少しの間」、ki:5 wan2（数日（間））」、ki:5 ɓɯ:n2「数ヶ月（間）」、ki:5 pɤj1「数年（間）」、θɤj2 θɤj2「いつも」、mo:j5 wan2/wan2 wan2「毎日」、mo:j5 ɓɯ:n2/ɓɯ:n2 ɓɯ:n2「毎月」、mo:j5 pɤj1/pɤj1 pɤj1「毎年」などがある。

　出来事の生起する時点を表す（i）（ii）（iii）類の時間名詞は、下の例（1）の a, b, c, d で示すように、主語に先行して文頭に現れることが多く、話し手が語る事象が「いつ起きたか、または起きるのか」という「時間の場面設定子」として用いられる。そのほか、（1）b に示すように、ŋam4-wa:2「昨夜」は連体修飾機能を持ち、kʰaw5-lɯ:1「残りご飯」を修飾している。（1）c に示すように、時間名詞の wan2-pjuk4「明日」は主語に、to:ŋ1-cɤj3「冬至」は述語になりうる。（1）e に示すように、時間名詞は動詞の前に現れ、出来事の起きた・起きる時点を副詞的に修飾する。

（1）a. θip4　ti:m5　　ŋo:4　naŋ2　cʰe:1　no:ŋ5-kʰu:j1　pɤj1　na:m2-niŋ2.
　　　 10　　～時　　私　　座る　車　　妹婿　　　　　行く　南寧（地名）
　　　 「10時に私は妹婿の車に乗って南寧に行く。」

　　 b. nauɥ1-ne:4　te:1　kin1　　kʰaw5-lɯ:1　　ŋam4-wa:2.
　　　 今朝　　　　彼　　食べる　残りご飯　　　昨夜

70

「今朝、彼は昨夜の残りご飯を食べた。」

c. <u>wan2-pjuk4</u>　　cɤɥ4　　<u>to:ŋ1-cɤj3</u>　　　　lɤ:3.
　　明日　　　　焦点標識　　冬至　　　　　　語末詞
　　「明日こそが冬至だよ。」【他の日ではなく、明日だ。】

d. tam5　ki:5-pɤj1 kʰa:1 ko:n3　te:1　le:4　ɓin2　tʰo:ŋ5-fuŋ3　lɤw4.
　　〜から　数年　足　先　彼　すでに　なる　痛風　　語末詞
　　「数年前から彼はすでに痛風になったのだ。」

e. mu:3　　　θa:m1　<u>wan2-pjuk4</u>　θo:ŋ2　ti:m5　pɤj1　na:m2-nin2.
　　叔母（父方）3　　　明日　　　2　　〜時　行く　南寧（地名）
　　「3番の叔母は明日の2時に南寧に行く。」

　一方、出来事の生起する時間の幅を表す (iv) と (v) 類の時間名詞の場合、動詞の後に置かれた時間詞は、(2) で示すように、話し手が語る (2) a「出来事に要した、あるいは要する期間」、(2) b「出来事の起きる期限」、(2) c「出来事の前後関係」を表す。また、(2) d の wan2「（一）日」＋θa:m1 lu:k3「3回」のような「時間名詞＋数量詞句」の構造は「出来事がある期間内に起こる頻度」を表す。

(2) a. mo:5-ŋo:4　fa:ŋ5　<u>θa:m1　　wan2</u>　kja:n3.
　　　私たち　　休む　　3　　　日　　だけ
　　　「私たちは三日間しか休まない。」【が、あなたは何日間休むの】

b. ko:1　jɤw3　na:m2-nin2　cu:5-je:n5　<u>tʰɯ:ŋ　ɓɯ:n2-na:3</u>.
　　兄　　で　　南寧（地名）　入院する　　至る　　来月
　　「兄が来月まで南寧で入院する。」

c. ŋo:4　mɯ:2　ka:j1　<u>θo:ŋ1- ɓa:t3　　ko:n3</u>.
　　私　　行く　　町　　ちょっと　　　先に
　　「私はまず先にちょっと町に行く。」【ので、電話を切るね】

d. ja:2　kin1　<u>wan2　θa:m1　lu:k3</u>.
　　薬　　食べる　一日　三　　類別詞
　　「薬は1日3回飲む。」

2.1.2.2 時間副詞とその機能

　次に、時間副詞について考察する。龍茗方言の時間詞には、ko:n3「先に」、
ŋa:m3/ŋa:m3-ŋa:m3「ちょうど」、ma:1-cʰaŋ5「すぐに」、θɤj2-θɤj2「いつも」な
どといった時間副詞がある。(3)で示す通り、時間副詞は連用修飾機能また
は文修飾機能を持つ。統語構造上、(3) a に用いられる ko:n3「先に」は動詞
の後に置かれるが、(3) の b, c, d, e のように時間副詞は基本的に動詞の前に
現れる。なお、(3) f は時間副詞の pɤj1-pɤj1「毎年」を文頭において主題とし、
時間場面を設定する文である。動詞の前に to:4「すべて」という語が用いら
れ、「毎年」を強調している。これに対し、作例の (3) f' では時間副詞が動詞
の前に置かれ、動作の行われる時間を特定している。主題と焦点の位置の時
間詞の機能に関しては峰岸 (2019)、(2021) を参照のこと。

(3) a. co:5　　　　kin1　　　ko:n3　　　nɤ:3.
　　　私（曽祖母）　食べる　　先に　　　語末詞
　　　「私は先に食べるね。」【曾祖母が家族に言う食事の挨拶言葉】

　　 b. ti:2-ti:1　　ŋa:m3-ŋa:m3　ma:2　tʰɤŋ1　ruː:n2.
　　　　弟　　　　ちょうど　　来る　着く　家
　　　「弟はちょうど家に着いたところだ。」

　　 c. ni:4　　ma:1-cʰaŋ5　pɤj1　tʰi:n1-taŋ5　caŋ3-ɗaj5.
　　　　あなた　すぐに　　　行く　天等（地名）しなければならない
　　　「あなたはすぐに天等に行かなければならない。」

　　 d. θɤj2-θɤj2　kin1　　　law5　　ɓaw2.
　　　　いつも　飲む　　酒　　　　酔う
　　　「いつも酔うまで酒を飲む。」【酒に酔った人への非難言葉】

　　 e. mu:3　　　　θa:m1　wan2-wan2　kʰaj1　　　　tʰa:n1.
　　　　叔母（父方）　3　　毎日　　　開く　　　　店
　　　「3 番目の叔母は毎日お店をやる。」

　　 f. pɤj1-pɤj1　ruː:n2　ʔa:w　　　ta:j4　　to:4　caj1　cuk4-ke:w1.
　　　　毎年　　　家　叔父（父方）最初の　すべて　植える　唐辛子
　　　「毎年、1 番目の叔父の家はすべて唐辛子を植える。」

f'. rɯ:n2　ʔa:w　　　ta:j4　　p̲ɤ̲j̲1̲-̲p̲ɤ̲j̲1̲　　caj1　　cuk4-ke:w1.
　　家　　叔父（父方）最初の　　毎年　　　植える　唐辛子
　　「1番目の叔父の家は毎年唐辛子を植える。」

2.1.2.3　時間を表現する動詞句とその機能

　以下では、時間を表現する動詞句について考察する。龍茗方言の時間詞には、一部の動詞句が1日のうちの特定の時間および時間帯を表現するための慣用句と見られるものが含まれる。現段階においては、(4) に示すものが見付かっている。(　) 内の訳は本来の意味である。

(4)　a. kaj3　　　kʰan1
　　　鶏　　　鳴く
　　　「午前3時頃」（鶏が鳴く）

　　b. tʰa:1-wan2　　kʰɤn5
　　　太陽　　　　上る
　　　「午前7〜8時頃」（太陽が上る）

　　c. kin1　　　ŋa:j2
　　　食べる　　お昼
　　　「午前12時頃」（お昼を食べる）

　　d. tʰa:1-wan2　　kʰɤn5　　tiŋ2　　tʰu:1
　　　太陽　　　　上る　　　上　　頭
　　　「午前12時頃」（太陽が頭の上に昇る）

　　e. kin1　　　caw5　　　ja:3
　　　食べる　　朝ご飯　　終結
　　　「午前中」（朝ご飯を食べ終わった後）

　　f. kin1　　　ŋa:j2　　　ja:3
　　　食べる　　お昼　　　終結
　　　「午後」（お昼を食べ終わった後）

　　g. kin1　　　le:ŋ2
　　　食べる　　お昼と晩ご飯の間に食べる食事

73

「午後 4〜5 時頃」（午後食を食べる）

h. tʰa:1-wan2　　loŋ2　　rɤw2

　　太陽　　　　下りる　穴

　「午後 5〜6 時頃」（太陽が穴に沈む）

i. kʰaw5　　　ŋam2

　　入る　　　夜

　「夕方/午後 6〜7 時頃」（夜に入る）

j. θɤp2　　　　ɗam2

　　ぶつかる　黒

　「午後 7 時〜8 時頃」（黒にぶつかる＝「晩になる」を意味する）

　（4）の a, b, c, d は、おおよその時点を表現するが、（4）の e, f, g, h, i, j はより幅が大きい時間帯を表す。これらの時間を表現する動詞句のほとんどは自然（太陽）の変化、日常的な食事の時間や鶏の鳴き声などに関わるものである。また、その使用頻度はとても高い印象がある。これは、農業を生業とする多くの龍茗方言の母語話者が西洋的な時間単位や曜日の概念への意識が薄いことと関係がありそうだが、本稿ではこの問題について立ち入らない。

　時間を表現する動詞句を用いた例を見てみよう。(5) a は「明日の予定」について聞く質問で、（5）b はそれについての返事である。この発話は「朝食の後は畑に行くが、お昼の後は市場に行く」という意味もあるが、この文脈では「午前中は畑に行くが、午後は市場に行く」と対比的に使われている。また、(6) a のように「何時」と聞いても、必ずしも具体的な時間を答えてくれるわけではなく、(6) b のような答え方をする場合がある。

（5）a. wan2-pjuk4　　　　ni:4　　　hat4　　　ka:4-raŋ1.

　　　明日　　　　　　あなた　　する　　　何

　　「明日は何をするの。」

　b. kin1　caw5　ja:3　pɤj1　na:2,　kin1　ŋa:j2　ja:3　mɯ:2　fauɯ4.

　　食べる　朝食　終結　行く　畑　食べる　お昼　終結　行く　市場

　　「午前中は畑に行くが、午後は市場に行く。」

74

（6）a. ni:4　　ki:5-la:j1　　　ti:m5-co:ŋ1　　tʰɤŋ1　ruː:n2.
　　　あなた　　どのくらい　　〜時　　　　　着く　　家
　　　「あなたは何時に家に着くの。」

　　b. kin1　　ŋa:j2　　caŋ3　　tʰɤŋ1　　ruː:n2.
　　　食べる　　お昼　　やっと　　着く　　　家
　　　「午前 12 時頃になったら家に着く。」【今はまだバスの中にいる】

　また、時間を表現する動詞句は、述語動詞より前に現れる（5）（6）と、述語動詞より後に現れる（7）a の場合がある。（7）a は時間帯が焦点化され、文末にくる。一方、作例の（7）b は時間帯が述語動詞より前（文頭）に現れ、話し手が語る事象が「いつ起きたか、または起きるのか」という「時間の場面設定子」として用いられる。したがって、時間を表現する動詞句は、時間名詞と異なって主語、述語として用いることができない上、連体修飾機能も持たない。

（7）a. ma:2　　tʰɤŋ1　na:m2-niŋ2　　to:4　　θɤp2-ɗam2　　lɤw4.
　　　来る　　着く　　南寧（地名）　　もう　　晩になる　　語末詞
　　　「南寧に着いたのは、もう日が暮れた頃だったよ。」

　　b. θɤp2-ɗam2　　ma:2　tʰɤŋ1　　na:m2-niŋ2　　lɤw4.
　　　晩になる　　来る　着く　　南寧（地名）　　語末詞
　　　「日が暮れた頃、南寧に到着したよ。」

　以上、龍茗方言の時間詞を考察した。これらの時間詞は発話、文において、時ないし時の流れにおける出来事の位置づけを指定する役割を担う。

2.2 過去・現在・未来の表現

　動詞を中心とした時間に関わる形態統語上の概念として、テンスとアスペクトが論じられてきた。一般に、テンスは「原則として発話時点を基準点として、出来事との時間関係（以前〈過去〉、同時〈現在〉、以後〈未来〉）を表す直示的な文法カテゴリー」と定義される。一方、アスペクトは「出来事が

どのような局面にあるかを表す文法カテゴリー」と定義される（Comrie 1976,
1985）。本稿でもテンス・アスペクトの上記の定義に従う。

　龍茗方言では、過去、現在、未来を表す表現として、以下のような例が挙
げられる。

> (8) a. te:1　　ŋam4-wa:2　kaj3　　kʰan1　　caŋ3　　　ma:2-ruːn2　　no:n2.
> 　　　　彼　　　昨夜　　　鶏　　鳴く　　やっと　　帰宅する　　　寝る
> 　　　　「彼は昨夜午前 3 時頃になってようやく帰宅して寝た。」【過去】
> 　　 b. ja:5　　　cɤŋ5-ne:4　　no:n2, po:4-ja:2　　ho:ŋ1　　　　la:j1.
> 　　　　ヤー（人名）いま　　　寝る　〜しないで　うるさい　　多い
> 　　　　「ヤーちゃんは今寝ているから、うるさくしすぎないで。」【現在】
> 　　 c. ŋo:4　ʔi:5-caŋ3　ʔɤm1　no:n2, mo:5-ni:4　no:n2　ko:n3　le:4.
> 　　　　私　少しの間　〜後　寝る　あなたたち　寝る　先に　語末詞
> 　　　　「私は後少ししたら寝るから、あなたたちは先に寝てね。」【未来】

　以上の（8）から分かるように、日本語では過去の場合とそれ以外（現在ま
たは未来）の場合で動詞の形態が変化している。しかし、龍茗方言では過去、
現在、未来を通じて動詞 no:n2「寝る」の形態は動詞が単独のままで、テンス・
アスペクトの標識は何も付加されない。すなわち、日本語では「寝た」とい
う過去形（過去テンス）と「寝ている」という非過去形（現在テンス）との
対立があるとされており、時間の概念が文法形式の中にある程度組み込まれ
ているのに対して、龍茗方言では「過去を表す時間詞＋動詞」、「現在を表す
時間詞／時間詞無し＋動詞」、「未来を表す時間詞＋動詞」などの時間詞との
組み合わせにより、詳細な時間情報の表出が可能になっている。この点で、
龍茗方言は語彙または語彙の組み合わせのみで時点・時間の意味を表現でき
るが、テンスという文法形式は存在しないと言える。

2.3　先行文脈からの情報と時間詞省略について

　2.2 で示した（8）a と（8）c は、動詞のみでは過去と未来を示すことはで
きないが、会話文である（8）b では時間詞「今」があるが、仮に時間詞がな

くても眼前の子供が寝ているという場面・文脈によって直示的に現在を示すことができる。それでは発話に時間詞がない場合、どのように過去や未来の出来事を表すのだろうか。次の例を見ることにしよう。

(9) ja:5　　　　　　pɤj1　　ŋa:k4.
　　ヤー（人名）　行く　学校
　　「ヤーちゃんは学校に行く。」

　この文は、過去、現在、または未来といった特定の時を指しているのではなく、一般的な習慣を表している。しかし、仮に先行文脈や発話の場面において過去のことが話題になっていて、例えば、「昨日の朝何をしたか」が話題になっているような文脈では、(9) は「ヤーちゃんは学校に行った」という意味解釈が可能となる。また、先行文脈や発話の場面において発話時または発話時以降のことが話題になっていて、例えば、「今何をしているの」、「明日の午後何をするか」が焦点になっているような時には、(9) は「ヤーちゃんは学校に行っている」あるいは「ヤーちゃんは学校に行く」という意味解釈が可能となる。

　このように、先行文脈や場面によって出来事に関する時間・時点が特定可能な場合、時間詞がなくても動詞が単独で過去・現在・未来を表現できる点で、龍茗方言は文脈や場面に依存する度合が高いと言える。これに対して日本語では、上述のような先行文脈や場面に加えて、動詞の活用形で、ある程度過去・現在の出来事を明示することができる。

3　チワン語のアスペクト表現

　以上のように、龍茗方言にはテンスという文法範疇はなく、主に「時間詞と動詞」といった語彙成分の組み合わせによって時間を表す。これらの語彙形式の時の表現が果たす役割は、主題として出来事の時間設定を提供すること、または状況詞として動詞に後続して出来事・状況の発生時間を特定することである。

　これとは別に、龍茗方言には、中国語と類似のアスペクト文法形式も観察

される。中国語のアスペクト形式には、少なくとも動詞の後に動詞接尾辞「了」、「着」など、そして動詞の重畳形（reduplication）があるという（戴耀晶著、李・小嶋訳 2021：42）。龍茗方言のアスペクト形式は、中国語と異なり、動詞の後だけではなく前にもアスペクト的な意味を表す動詞助詞を付けて作ることができる。動詞の重ね型は動詞の特殊な使い方の一種と考えるため、本稿ではアスペクト形式として扱わない。

　出来事の局面に対する見方の違いによって、異なるアスペクト形式が用いられる。龍茗方言におけるアスペクト形式は、表 2 で示すように大きく 2 つに分けられ、さらにそれぞれを以下のように下位分類できる。

表 2　時の表現に関わる動詞助詞一覧（V は動詞を示す）

分類	助詞	生起位置	機能と意味
完結	ja:3	V+ja:3	終結：動作のひとまとまりとしての終結および次の局面への展開を表す。
	kwa:3	V+kwa:3	経験：経験・現実化した出来事を表す。
非完結	caŋ2	caŋ2＋V	未然：動作がまだ行なわれていないことを表す。
	ha:1	ha:1＋V	未達：動作が実現しなかったことを表す。
		ha:1＋V	将然：動作がまもなく起こることを表す。
	ŋa:m3	ŋa:m3＋V	始動：動作が今まさに行われたことを表す。
	ɲaŋ2	ɲaŋ2＋V	依然：動作が依然として継続していることを表す。
	jɤw3	V+jɤw3	持続：状態が続いていることを表す。

　「完結アスペクト」は出来事の外部から観察する方法によるもので、文はひとかたまりの出来事を叙述する。「完結アスペクト」の下位分類として、ja:3「終結相」、kwa:3「経験相」の 2 つがある。

　「非完結アスペクト」は出来事の内部を観察する方法によるもので、文は

出来事を分解して個々の局面を描写する。「非完結アスペクト」の下位分類に、caŋ2「未然相」、ha:1「未達・将然相」、ŋa:m3「始動相」、ɲaŋ2「依然相」、jɯw3「持続相」の 5 つがある。

　なお、龍茗方言の進行表現では、進行表現は文脈によるか、時間詞を明示することが必要であり、「進行相」に当たるようなアスペクト標識は存在しない。

3.1 完結アスペクト表現

　チワン語と密接している漢語では、完結（perfective）アスペクトと非完結（imperfective）アスペクトの区別があると言われている。また、漢語の完結アスペクトは非完結アスペクトと対立するものである。表現論的に見れば、完結アスペクトは陳述（declarative）、描写（descriptive）に傾き、前者は事態全体を叙述するのに重点が置かれるのに対して、後者は事態の一部の描写を重んじると言われている（戴耀晶著、李・小嶋訳 2021：49）。龍茗方言も基本的に漢語と同じで、完結アスペクトと非完結アスペクトの区別があり、前者は出来事の総体、後者は出来事の各局面に重きが有る。完結アスペクトは出来事の全体性（entirety）を表す。一方、1 つの出来事の開始・進行・終結などの内的な局面に着目して、非完結アスペクトで表現することもできる。非完結アスペクトは出来事の部分的な局面（phase）を表す。以下で、龍茗方言の各アスペクト表現について考察する。

3.1.1 終結相 ja:3

　ja:3 は動詞の後について、出来事が終結・終了し、さらには次の局面への展開を含意する（以下では含意の内容を【　】内に示す）ことを表す。(10)、(11) は「〜した」という意味で出来事の終結を叙述している。また、(12) のように、後続文脈がある場合は「〜した後」という意味を含意する。この場合、ja:3「終結」は前部文脈の出来事の「終了」を意味すると同時に、後続の状況への「展開」も含意する。その後にどうなり、終結・終了したかは問題にしない。さらに、(13) のように、話者が新しい出来事への認識・発見へと到達する場合にも終結相 ja:3 を用いることができる。

(10) ja:5　　　　　kak4　　　　no:n2　　　　<u>ja:3</u>.
　　　ヤー（人名）　独自で　　寝る　　　終結
　　　「ヤーちゃんは一人で寝た。」【もう寝かしつけることは必要ないね】

(11) ŋo:4　tɤk4　te:n5-hwa:5　hɤɯ5　　te:1　　<u>ja:3</u>.
　　　私　掛ける　電話　　　あげる　彼　　　終結
　　　「私は彼に電話を掛けた。」【あなたはもうしなくていいよ】

(12) <u>wan2-pjuk4</u>　kʰa:j1　cuk4-ke:w1　<u>ja:3</u>,　caŋ3　　pɤj1　ta:j3.
　　　明日　　　　　売る　唐辛子　　　終結　やっと　行く　祖母（母方）
　　　「明日唐辛子を売ったら、祖母の家に行く。」【すぐには行けない】

(13) cʰe:1　ma:2　　<u>ja:3</u>,　　pi:5-te:1　　ko:n3　　nɤ:3.
　　　バス　来る　　終結　　それでは　　先に　　語末詞
　　　「バスが来た！それではまたね。」【バスは見えたが、到着していない】

　以上のように、ja:3 は回想的現実（10）、（11）と未来に起こりうる出来事（12）、および新事態への認識・発見（13）を含め、出来事が終結・終了したことを表現する。

　また、龍茗方言には「終了する、終わる」などの意味を持つ le:w5 がある。チワン語と同系であり、タイ・カダイ語族の西南タイ諸語に属するタイ語にこれと対応する lɛɛw4 がある。タイ語の lɛɛw4 の場合、本動詞としての意味は失われ、文法化して終結アスペクト形式を担う役割があるが、龍茗方言のle:w5 は文法化しておらず、本動詞の意味を保つ。動詞 le:w5 と終結相 ja:3 の違いを作例（14）に示す。

(14) a. kin　　　<u>le:w3</u>　　nɤ:3.
　　　食べる　　終わる　　語末詞
　　　「食べ切ってね。」【完食が求められるが、食べるという動作が完了するかどうかは問題にしない。食べる行為が続けても良いが、全量を食べることが重要】

　　　b. kin　　　<u>ja:3</u>　　nɤ:3.

食べる　終結　　語末詞

「食べ終わったよ。」【食べる行為が終わったが、食べ足りない、食べ切れたか、余ったかは分からない。食べるのをやめた】

　　c. kin1　le:w3　　ja:3.

　　食べる　終わる　　終結

　　「食べ終わった。」【完食した上、食べる行為も終わった】

3.1.2　経験相 kwa:3

　kwa:3 は動詞の後について、経験・現実化した出来事を表す。経験相は終結相 ja:3 と同じく、時間の推移の中で出来事がどう構成されているかを外部から観察し、分解不能な出来事の総体性を反映している。しかし、終結相 ja:3 が出来事の終結性を強調しているのに対して、経験相 kwa:3 は出来事の経過性を強調している。(15)a は発話時点より前（発話時点を含まない）に、「人民病院に行った」ことがあるかどうかの経験を聞いているが、(15) b は過去の経歴について言及し、今はもう「兵士」ではないことを含意している。

　(15) a. te:1　　pɤj1　　kwa:3　　ji:n2-min2-ʔi:3-je:n5　　mɤj5.

　　　　　彼　　　行く　　経験　　人民病院　　　　　　　疑問詞

　　　　　「彼は人民病院に行ったことがあるか。」

　　　　 b. pa:1　　　ta:ŋ1　　kwa:3　pi:ŋ1　na:ŋ2　cwa:ŋ3　cwa:ŋ3　ta:j4.

　　　　　お父さん　なる　　経験　兵士　体　　丈夫な　丈夫な　とても

　　　　　「お父さんは兵士だったので、体がとても丈夫だ。」

　(16) は経験相 kwa:3 の後に数量詞句を用いて、経験の回数や経験に要した時間を明示している。また、経験相 kwa:3 の経過性により、(16) a の「伝った」と (16) b の「住む」という動作はすべて終了している。(16) a は「何度も伝えたが今後伝えるかは分からない」ということ、(16) b は「彼が現在深圳にはいない」ということを含意している。

　(16) a. ŋo:4　　ɳa:5　　　kwa:3　　ki:5　　lu:k.

私　　伝える　　経験　　いくつ　類別詞（回）

「私は何回も伝えたことがある。」【しかし、全然覚えてくれない。】

b. te:1　　jɤw3　　<u>kwa:3</u>　　cʰi:n3-ci:n5　　rok4　　pɤj1.

彼　　　住む　　経験　　深圳（地名）　　6　　　　年

「彼は深圳に6年住んだことがある。」【その後、例えば、北京には
2年住んでいる、住んでいた。】

　終結相 ja:3 と経験相 kwa:3 は、ともに日常会話でよく見られる。

　作例（17）a の回答である（17）b は、ja:3 と kwa:3 のいずれでも「ご飯は
済んだ」ことを表現している。あえてその違いにふれるならば、ja:3 は「私は
食べた後に来た」、kwa:3 は「来る前に食べた」、即ち「食べた経験の後に来
た」ということになる。

（17）a. ma:2　　kin1　　ŋa:j2　　to:2-caj2　　le:3.

来る　　食べる　　お昼　　一緒に　　語末詞

「さあ、一緒にお昼をどうぞ。」【相手を食事に誘う。】

b. ɗaj5　lɤw4.　ŋo:4 kin1　<u>ja:3/kwa:3</u>　caŋ3　ma:2　　cɤ:2.

得る　語末詞　私　食べる　　終結/経験　やっと　来る　　語末詞

「遠慮するわ。私は食べた後に来たよ/来る前に食べたよ。」

3.2 非完結アスペクト表現

　非完結アスペクトとは、出来事の内部からその構成を観察するものある。
観察対象の出来事を開始、経過、終わりの各局面に分解して観察し、特定の
文法標識で表示する。

　前掲の表2で示すように、龍茗方言の非完結アスペクトには主に caŋ2「未
然相」、ha:1「未達・将然相」、ŋa:m3「始動相」、ɲaŋ2「依然相」、jɤw3「持続
相」の5種類がある。動詞の後に現れる jɤw3「持続相」を除き、全ての非完
結アスペクト標識が動詞の前に現れる。以下順に取り上げていく。

3.2.1 未然相 caŋ2

未然を表す caŋ2 は、まず（18）のように動詞句の後ろに生起して諾否疑問文を作ることができる[5]。疑問に対する応答は、肯定では「動詞句」をそのままに用い、否定では単独の caŋ2 または「caŋ2＋動詞」を用いる。

（18）me:1　　　　kin1　　pjaw2　　ja:3　　caŋ2.
　　　祖母（父方）食べる　晩餐　　　終結　　未然/疑問詞
　　　「おばあさんは晩ご飯を食べ終わったか、まだか。」

（19）に示すように caŋ2 は「まだ〜していない」という動詞否定辞としても用いられる。この場合、mɤj2「〜しない」と同様に否定語として機能する。

（19）fu:5　　　　kʰa:5　kaj3　ja:3,　　to:2　　caŋ2　　tʰa:j.
　　　叔父（母方）殺す　鶏　　終結　　しかし　否定　　死ぬ
　　　「叔父は鶏を殺そうとしたが、（鶏が）まだ死んでいない。」

　さらに、（20）のように動詞の前に置くと、未然相としての機能を持つ。時間詞がない場合は、発話時点を暗黙の参照時点として、「（今まだ）動作が開始していない」ことを意味する。また、「時間の場面設定子」としての時間詞がある（21）は、その時間詞が指定する時点が参照時点となり、「（指定時点において）動作がまだ開始していない」ことを示す。

（20）ko:1　　caŋ2　　cʰu:2-je:n5.
　　　兄　　　未然　　退院する
　　　「兄はまだ退院していない。」【今は入院中である】

（21）wan2-wa:2 kin1　　　ŋa:j2　　te:1　　caŋ2　　tɤn3.
　　　昨日　　食べる　昼ご飯　彼　　　未然　　起きる
　　　「昨日のお昼頃（12 時頃）彼はまだ起きていなかった。」【「昨日のお

---

[5] 平野（2021:127）が記述しているベトナム北部のヌン語（龍茗方言と同じく中央タイ諸語に属す）の未然を表す bǎn3 の用法に類似している。

昼頃彼は何をしていたの」への応答】

3.2.2 未達・将然相 haː1

　未達の haː1 は、後続する動詞句の語義的なアスペクトの違い[6]に応じて、「未達相」あるいは「将然相」を表す。(22) は、瞬間動詞「死ぬ」の前について、「〜しそうだ」という未達相を表す。「昨日、雌鶏は死にそうだった」ということになる。(23) は平野（2021:136）における (44) 番の例文を元に作例したものである。haː1 を到達動詞 haj5「泣く」とともに用いて、現在目の前にいる子供が「今にも泣きそうだが、まだ泣いてはいない」ことを含意している。

(22) <u>wan2-waː2</u>　tu:1　　kaj3-meː4　　<u>haː1</u>　tʰaːj　lɤw4.
　　　昨日　　　類別詞　雌鶏　　　　未達　死ぬ　語末詞
　　　「昨日、雌鶏は死にそうだったよ。」【未達】

(23) luk4　　　　ʔeːŋ2　　　　　<u>haː1</u>　　haj5　　ʔaː2.
　　　子供　（年齢が）小さい　未達　　泣く　　語末詞
　　　「子供が今にも泣きそうだよ。」【未達】

　(24)、(25) の haː1 は、到達動詞（あるいは活動）動詞の前について、その動作やその動詞が示す状態がもうすぐに起こる将然相 (prospective) を表す。
　(24) a は、病院に向かっていて、なおかつまもなく到着する局面を描写している。「病院はもう近くにあり、到着するのにいくらも時間がかからない」ということを含意している。(24) b は、(24) a のような切迫した状況ではないが、「結婚する」という出来事が「近いうちに行われる」ということを含意している。いずれも「まもなく起こること」を表すが、「まもなく」という「時間の幅」は異なる。(25) は、haː1 が活動動詞 kʰaj1「運転する」の前について、車が「もうすぐ動き出す」ことを表す。

---

[6] Comrie (1976) は、動詞に内在的な意味 (inherent meaning) としての「語彙的アスペクト」として「達成：accomplishment、活動：activity、限界的：telic、一回（瞬間）：semelfactive、反復：iterative、状態：state」などを挙げている。

(24) a. ŋo:4　　　ha:1　　　　pɤj1　　　　tʰɤŋ1　　　ʔi:3-je:n5　lɤw4.
　　　私　　　　将然　　　　行く　　　　着く　　　病院　　　語末詞
　　　「私はまもなく病院に着くよ。」【玄関まで迎えに出ておいて】【将然】
　　　b. na:4　　　　ɲɤj4　　　　ha:1　　　　ke:2-hwɤn3　　　lɤw4.
　　　叔母（母方）　2　　　　　将然　　　　結婚する　　　　語末詞
　　　「2番目の叔母はもうすぐ結婚するよ。」【将然】

(25) cʰe:1　ha:1　　kʰaj1　　lɤw4,　　mɤj2　　ka:ŋ5　　nɤw4.
　　　車　　将然　運転する　語末詞　否定辞　話す　　語末詞
　　　「車がもうすぐ動き出すので、話を止める／電話を切るね。」【将然】

3.2.3 始動相 ŋa:m3

　始動相 ŋa:m3 は副詞として用いられる場合は「ちょうど、ぴったり」と言う意味である。(26)、(27) 動詞の前に付き、開始直後のことを表す。「〜はじめた、始めたばかりだ」という意味で、出来事が起きた直後の局面を表す。

(26) ci:ŋ5-pʰe:n5　　　　　ŋa:m3　　　mɤj2.
　　　テレビドラマ　　　　始動　　　ある
　　　「テレビドラマが始まったばかりだ。」

(27) raj3-kaj3　ŋa:m3　tok4　to:4　ʔaw2　ma:2　　ce:n1　　le:1.
　　　卵　　　　始動　産む　もう　もらう　くる　　焼く　　語末詞
　　　「産みたての卵をもう目玉焼きにするの。」

3.2.4 依然相 ɲaŋ2

　ɲaŋ2 は動詞の前について、依然相を表す。「依然として〜している」、「まだ〜している」という出来事の局面を描写している。(28) は、彼が「食事」を「まだ継続している」ことを表現している。

(28) te:1　ɲaŋ2　kin1　　ŋa:j2　　mɤj2　　daj5　　ka:ŋ5　　na:w3.

彼　　依然　　食べる　　昼ご飯 否定辞　得る　　　話す　　　語末詞
　　「彼はまだ食事をしているので、（電話で）話す暇がないね。」

　また、（29）のように動詞の前に付き、疑問文に用いられる。疑問に対する
応答は、肯定では単独の動詞、あるいは「ɲaŋ2＋動詞」を用いる。否定では、
mɤj2「否定辞」＋動詞を用いる。

　　（29）ɲaŋ2　　　　le:2　　　　te:n5-ci:5 mɤj2.
　　　　　依然　　　　見る　　　テレビ　　疑問詞
　　　　「まだテレビを見続けるか。」

　さらに、（30）のように「ある」を前置して、「ある／なし」を聞く疑問文
にも用いられる。疑問に対する応答は、肯定では単独の動詞やɲaŋ2、または
「ɲaŋ2＋ある」を用いる。否定では、po:4-mɤj2「ない」を用いる。

　　（30）ɲaŋ2　　　　mɤj2　　　ŋɤn2　　　mɤj2.
　　　　　依然　　　ある　　　お金　　　疑問詞
　　　　「まだお金を持っている／お金があるか。」

3.2.5　持続相 jɤw3
　jɤw3 は本動詞としては、「いる、ある」（31）、「住む」（32）などの意味があ
る。

　　（31）te:1　　　jɤw3　　　mɤj2.
　　　　　彼　　　いる　　　疑問詞
　　　　「彼はいるか。」
　　（32）na:4　　　　　　　jɤw3　　　cʰi:n3-ci:n5.
　　　　　叔母（母方）　　住む　　　深圳（地名）
　　　　「叔母は深圳に住んでいる。」

前置詞としては、動詞の前に置く副詞句（{jɤw3＋名詞／名詞句}＋V）の要素となりうる（33）。また、動詞の後に置く補語（V＋{jɤw3＋名詞／名詞句}）の要素としてもなりうる（34）。「どこどこで～をする」という意味である。

(33) ko:1　　　jɤw3　　　rɯːn2　kin1　　law5.
　　　兄　　　　で　　　　家　　飲む　　酒
　　　「兄は家でお酒を飲んでいる。」

(34) ja:5　　　　cɤŋ5-neː4　noːn2　jɤw3　　ɲɤj4-law2.
　　　ヤー（人名）いま　　寝る　　で　　　2 階
　　　「ヤーちゃんはいま 2 階に寝ている。」

(35)、作例（36）では動詞に後置して、状態存続を表す持続相として用いられ、「～している状態」という意味になる。

(35) kja:3　　　teːn5-ciː5　kʰaj　　jɤw3.
　　　類別詞　　テレビ　　開く　　持続
　　　「テレビが付いている。」

(36) teː1　　　ɲin2　　jɤw3　　keːn1-cʰaː2.
　　　彼　　　　立つ　　持続　　検査を受ける
　　　「彼は立ったまま検査を受けている。」

3.3 進行表現について

龍茗方言の進行表現は文脈によるか、時間詞を明示することが必要であり、「進行相」に当たるようなアスペクト標識は存在しない。龍茗方言では「現在を表す時間詞／時間詞無し＋動詞」といった時間詞と動詞の組み合わせにより、進行を表す。文脈によって進行を表現できることは、すでに 2.2 節で述べたため、以下に時間詞を明示する進行表現のみを考察する。

「いま・現在」という発話時点において、進行中の出来事を描写する場合、cɤŋ5(-neː4)「いま」という時間詞を文頭、動詞の前、もしくは場所を示す前置

詞のいずれかに置いて表すことができる。(37) では cɤŋ5-ne:4「いま」が文頭、(38) は cɤŋ5「いま」が動詞の前に、(39) では所を示す前置詞の前に置かれている。

(37) cɤŋ5-ne:4　me:1　　　　6e:n2　　　kʰaw5-tʂm5.
　　　いま　　　祖母（父方）包む　　　　粽
　　　「いま、祖母が粽を包んでいる。」

(38) ko:1　　cɤŋ5　kin1　law5.
　　　兄　　　いま　飲む　酒
　　　「兄はいまお酒を飲んでいる。」

(39) fu:5　　　　　cɤŋ5　　jɤw3　ʔi:5-hauɥ1　kin1　　law5.
　　　叔父（母方）いま　　で　　どこ　　　　飲む　　酒
　　　「叔父はいまどこでお酒を飲んでいるか。」

4　おわりに

本稿では、チワン語龍茗方言の時の表現、特に時間詞およびアスペクトに関わる表現の分析を試みた。それにより、以下の点を明らかにした。

第一に、龍茗方言の文法範疇にはアスペクトはあるが、テンスはない。時点・時間の特定は、時間詞または時間詞と動詞の組み合わせのみで表現される。龍茗方言の時間詞には時間名詞、時間副詞、動詞句がある。龍茗方言の特徴として、動詞句（動詞＋名詞）が、時点・時間帯を表す慣用的な表現として多用されることが挙げられる。

第二に、時間詞の出現位置は、文頭、および動詞の前と後に大きく分けられる。文頭の時間詞は、主題として時間的場面を設定し、その時間に起こる出来事を叙述する。動詞の前の時間詞は、副詞的に動詞を修飾し、出来事の起きる時点・時間を表す。動詞の後の時間詞は、出来事の起きる時間的な量（期間）、期限や、出来事の起こる頻度を表す。

第三に、龍茗方言のアスペクト形式は、完結アスペクトと非完結アスペクトの 2 つに大別される。完結アスペクトには終結相と経験相がある。非完結アスペクトには、未然相、未達・将然相、始動相、依然相と持続相の 5 つが

ある。進行表現は文脈によるか、時間詞を明示することが必要である。

　本稿の考察は共時的視点から龍茗方言の時の表現を記述した。今後さらに記述と分析を進めるには、当該方言だけではなく、他のチワン語諸方言や、チワン語と同系統のタイ諸語、さらにはチワン語と密接な関係のある中国語（諸方言）との対照を通じて、言語類型地理学的な分析を行い、通時的な変化へと考察を深める必要がある。

　共時と通時の考察を組み合わせることで、アスペクト的意味を表す文法形式の文法化の過程や、チワン語諸方言に普遍的な文法特徴を解明することが期待できる。これらは今後の課題としたい。

謝辞

　本稿の執筆にあたり、東京外国語大学名誉教授の峰岸真琴先生に丁寧なご指導を頂いた。同僚である国立国語研究所プロジェクト非常勤研究員の山田高明氏から貴重なコメントとアドバイスを頂いた。記して感謝の意を表する次第である。当然ながら、本研究におけるいかなる誤謬も筆者個人の責めに帰する。

参考文献

中国語

広西僮文工作委員会研究室・中国科学院少数民族語言調査第一工作隊編（1957）『僮語語法概述』広西民族出版社。

張元生・覃曉航（1993）『現代壮漢語比較語法』中央民族大学出版社。

張均如等（1999）『壮語方言研究』（中国少数民族語言方言研究叢書）四川民族出版社。

晏姝（2018）「崇左左州壮語参考語法」広西大学、修士論文。

韋慶穏・覃国生編著（1980）『壮語簡誌』民族出版社。

韋慶穏（1985）『壮語語法研究』広西民族出版社。

韋景雲・覃曉航（2006）『壮語通論』中央民族大学出版社。

韋景芸・何霜・羅永現（2011）『燕斎壮語参考語法』中国社会科学出版社。

韋茂繁（2014）『下坳壮語参考語法』広西人民出版社。

韋海倫（2021）「武宣壮語時間名詞研究」広西民族大学修士論文。

日本語

黄海萍（2018）「チワン語龍茗方言研究」一橋大学大学院言語社会研究科博士論文。

黄海萍（2021）「チワン語の情報構造について」言語の類型的特徴対照研究会編『言語の類型的特徴対照研究会論集』第 4 号、日中言語文化出版社、119-138 頁。

黄海萍（2022）「チワン語の動詞連続：運動・移動表現を中心に」一橋大学大学院言語社会研究科紀要『言語社会』第 16 号、305-333 頁。

戴耀晶著、李佳樑・小嶋美由紀訳（2021）『現代中国語アスペクトの体系的研究』関西大学出版部（戴耀晶（1997）『現代漢語時体系統研究』浙江教育出版社）。

平野綾香（2021）「ベトナムランソン省チャンディン県のヌン語記述研究」大阪大学博士論文。

峰岸真琴（2019）「タイ語の情報構造に関わる諸表現」『慶應義塾大学言語文化研究所紀要』第 50 号、189-204 頁。

峰岸真琴（2021）「東南アジア諸言語の情報構造」言語の類型的特徴対照研究会編『言語の類型特徴対照研究会論集』第 4 号、日中言語文化出版社、1-16 頁。

欧米語

Comrie, Bernard.1976. *Aspect*. Cambridge University Press. （コムリー著・山田小枝訳（1988）『アスペクト』むぎ書房）。

Comrie, Bernard.1985. *Tense*. Cambridge University Press.

Li, Fang Kuei.1977. *A handbook of comparative Tai*. Honolulu: The University of Hawaii Press.

ペルシア語の進行表現
Progressive expressions in the Persian language

べへナム・ジャヘドザデ（大阪大学）

Behnam JAHEDZADEH (Osaka University)

要　旨

　ペルシア語において進行表現は語彙的アスペクトと文法的アスペクトの二通りで表現可能である。本稿では主な先行研究に触れ、ペルシア語における語彙的アスペクトと文法的アスペクトを解説し、補助動詞のdāštan[1]を用いて進行形が表現できない一部の動詞に関して意味的要素が関与している要因を説明する。また、補助動詞のdāštan の場合、状態動詞と共起しないことや否定形が不可能なのは、そもそも発生していない事態はダイナミズムが欠如していることが原因であると結論付ける。さらに、19 世紀末に用いられ始めた補助動詞の dāštan が文法化した理由について mi-が指し示す時制の幅が広く、より正確な時制が必要になったのではないかという仮説を提示する。

キーワード: ペルシア語, 進行表現, 進行形, 文法化

1. 先行研究

　ここで、ペルシア語の進行表現を対象とした主な先行研究を概観した上で、ペルシア語における進行表現の語彙的および文法的な用法を挙げ、補助動詞の dāštan が出現した理由についていくつかの仮説を提示する。

　先行研究では「進行表現」と「習慣、反復」を区別して扱う研究が少ないが、Jahanpanah Tehrani(1363)は動詞を「瞬間動詞」と「継続動詞」に分類し、補助動詞の dāštan が「瞬間動詞」と共起する場合、「発生直前の事態」および

---

[1] 本動詞としての意味は「所有する、持つ」(to have)である。

「出来事の接近」を、「継続動詞」と共起する場合「継続／進行」を表現すると述べている。

Mahootian(1383:226-231)はペルシア語における接頭辞の mi-が３つの(1)継続／進行、(2)習慣、(3)反復／リピートを示すとしている。Farshidvard(1383:76)は mi-が未完了と継続／進行アスペクトを表すと述べ、補助動詞の dāštan は「進行中の事態」を指すとしている。Golfam(1385)はペルシア語における進行アスペクトが接頭辞の mi-と補助動詞の dāštan によって表現されると述べている。Ostaji（1385）は dāštan の文法化した過程を通時的に研究している。Ostaji によると、「所有」は古代ペルシア語で二つの方法で表現されていた。一つは叙述動詞と与格による表現、もう一つは dār-(現在分詞 dāraya) （手に持つ、所有する、移り住む）動詞を用いての表現である。また、中世ペルシア語で所有を表すのに dāštan (現在語幹 dār-) のほかに、叙述動詞と後置詞の rā が古代の叙述動詞と与格に代用されるようになったのだとしている。

Rasekhmahand(1388)は出来事を描写する動詞はダイナミズムを有することから進行形になりうるが、状態動詞が一定の状態をキープするのにエネルギーを必要としないので進行形にならないと説明している[2]。

Rezai(1391)はペルシア語の進行アスペクトとして mi-と補助動詞の dāštan が用いられることに触れ、mi-の指す意味領域が広いため、進行アスペクトのみを表現するのに補助動詞の dāštan が用いられるようになったと指摘している。また、「alān (now), hamin hālā (just now), dar hāle hāzer (at this moment)」などの副詞による進行アスペクトの表現や語彙的アスペクトとして、「dar hāle… (in the state of…),mašqūle…(busy with…), sargarme… (busy with…)」が用いられることにも触れている。Ekati(1397)はプロトタイプ理論に基づいてペルシア語における進行アスペクトを研究している。氏によると、進行アスペクトは形態論のみではなく、意味論および文脈も重視すべきだと述べている。Ekati は形態論の観点から接頭辞の mi-が進行アスペクトを表す最も重要な形

---

[2] Bybee et al. (1994:126) は進行形とエネルギーの関係について以下のように述べている。"…the progressive is typically used for actions that require a constant input of energy to be sustained, as in (…) Sara is reading. However, states will continue without further energy input unless something occurs to put an end to them."

態素であると述べ、mi-が広い意味で用いられれば用いられるほど無標で、進行アスペクトのよりプロトタイプを指しているとしている。また、mi-に加えて補助動詞の dāštan も形態論的に進行アスペクトを表す要素だと述べている。また、アスペクトを連続体とし、動詞の意味は継続的であればあるほど進行アスペクトが、瞬間的であればあるほど未完了アスペクトの度合が強くなるとしている。Naghzguye kohan(1389)は本動詞の dāštan の意味拡張による進行アスペクト表現が形成されたことに触れ、oftādan(to fall)のような瞬間動詞と共起する場合、近未来を指していることを説明している。Vafaian (2012)は進行アスペクトの構造に補助動詞の dāštan と接頭辞の mi-が関係すると述べ、ペルシア語進行表現の特徴として、「否定形表現が不可」であること、補助動詞の dāštan が dānestan (to know)、および būdan (to be)のような「状態動詞と共起しない」ことを挙げている。

　Nematollahi(2018)はイラン北部で話されているマーザンダラーニー語でもペルシア語と同じく have 動詞を用いて継続アスペクトが表現されることに関して、ペルシア語はマーザンダラーニー語から借用した可能性を否定し、逆にマーザンダラーニー語がペルシア語の影響を受けた可能性を提示している。Makaremi その他(1400)[3]はペルシア語における様々な動詞の進行アスペクトの dāštan と共起する可能性を意味的な観点から分析し、状態動詞が進行形にならないのはその事態が継続およびダイナミズムに欠けているからだとしている。

1)　* Daryā-ye xazar dāšt　　　mavvāj būd. (Makaremi その他 1400:85)
　　　Sea-EZ　PN PROG(PST) wavy　　was.

　(Intended meaning: The Caspian Sea was so wavy.)

　また、感情動詞、存在動詞および所有動詞とは異なり、認識動詞が指し示す事態は話者の意思に基づき、コントロール可能な事態であることから進行形になりうると結論している。

　2) *še'r-hā-ye Hāfez rā dār-ad　　　dūst mi-dār-ad. (Makaremi その他 1400:85)
　Poetry-PL-EZ PN OM PROG-3SG ike DUR-have-3SG

---

[3] Makaremi, Zhaleh.; Shoja' Tafakkori Rezai.; Vali Rezai. 1400.

(Intended meaning: S/he likes Hafez's poetry.)

3) Man dār-am kamkam mi-šenas-am-et (…). (Makaremi その他 1400:86)

I   PROG-1SG gradually DUR-know-1SG-2SG(DO)

(I am recalling you gradually.)

２．語彙的進行表現

　ここで継続を表す動詞や副詞を用いて継続アスペクトを表す方法について概観する。

２．１．継続を表す本動詞による継続アスペクトの表示

mašğūl būdan/ mašğūl-e … būdan (to be busy with…)/

4) be ketāb xāndan mašğūl būd.

　to book reading busy was

(S/he was reading a book.)

ペルシア語でこのような複合動詞の場合、エザーフェ(e)を用いて項を形容詞的要素 mašğūl と動詞の būdan の間に用いることも可能である。

5) mašğūl-e ketāb xāndan būd.

　busy-EZ book reading was

(S/he was reading a book.)

Sargarm-e…būdan (to be busy with…)

6) Sargarm-e sohbat hast-and.

　busy-EZ　talking is-3PL

(They are talking.)

２．２．継続を表す副詞による表現

　副詞を形成する形態素-konān(〜しながら)による進行中の事態の表現もある。ただし、-konān は一部の語彙としか共起せず、副詞として生産性が低い。

7) Sohbat-konan raft-im be park.

   Talk-doing   went-1PL to park

(We went to the park while we were talking.)

8) xande-konān āmad.

   Laughing   came-3SG

(S/he came laughing.)

al'ān (now)/hamin al'ān(just now)

　副詞 al'ān (now)を用いて、進行中の事態を表現することもある。

9) hamin al'ān nāhār   mi-xor-am.

   this   now lunch DUR-eat-1SG

(I am eating lunch now.)

　Al'ān が補助動詞 dāštan とともに共起する場合もある。

10) Al'ān dār-am nāhār   mi-xor-am.

   Now PROG-1SG lunch DUR-eat-1SG

(I am eating lunch now.)

dar hāl-e … (to be at the situation of…)

11) ū dar hāl-e xāndan-e ketāb ast.

   s/he in situation-EZ read-EZ book is-3SG

(S/he is reading (a) book.)

３．文法的進行表現

　先行研究でも取り上げられているようにペルシア語における文法的アスペクトとして進行表現を指している接頭辞の mi-と補助動詞の dāštan がある。mi-は他に、反復や、習慣、自然現象のような一般的な事実も指しており、副詞や語彙的アスペクトと共起するなど、指し示す範囲が広くて進行形のマーカーとしての役割が限定的である。

３．１．接頭辞の mi- による限定的進行形

　未完了、反復、習慣や進行中の事態を表す mi- は中世ペルシア語の自立語の hamē が hami に、そして最初の音節、ha が脱落して音韻変化を経てできた付属語である。中世ペルシア語の hamē が副詞的な役割をはたしていて、動詞から離れたところに現れることもあったが、mi- は単なる機能語で副詞的な役割が一切ない[4]。現代ペルシア語で hamiše (always)という副詞に hami の名残を確認することができる。

　以下、未完了、反復・習慣および自然現象を表現するのに共起する mi- の例を挙げる。

１）未完了アスペクトとしての mi-

事態が未完了であることを指し示す。

12) pārsāl be dabirestān mi-raft-am.

　　　Last year to high school IMP-go (PST) 1SG.

(I went to high school last year.)

　上記の例文では去年高校に通っていたが、その行為は今や行っていないという意味である。つまり、高校に通う行為が未完了のまま終了しているのである。

２）反復・習慣アスペクトとしての mi-

事態が一定の間隔で繰り返される。

13) ū dar bank　kār mi-kon-ad.

s/he in bank work DUR- do-3SG

(s/he works in a bank.)

　反復・繰り返しアスペクトは発話時点で進行中の事態ではないかもしれないが「行く、働く、行き来する」のように一定の間隔で繰り返される習慣的な行為を描写する形式である。

３）一般的な事実

　「冬は雪が降る、夏は暑くなる、時には台風が来る、毎年のように地震が発生する」などのような自然現象も動詞の現在語幹に接頭辞の mi- がついて

---

[4] 初期近代ペルシア語のテキストでも確認することができる。

表現される。

14) zamin be dōr-e xoršid mi-čarx-ad.

Earth to around-EZ sun DUR-turn-3SG

(The Earth orbits the sun.)

15) har sāl dar Jāpon čand zelzele mi-āy-ad

Every year in Japan several earthquake DUR-come-3SG

(Several earthquakes occur in Japan every year.)

4) 継続アスペクトとしての mi-

上述したように、mi が継続アスペクトの役割を果たすのは限定的である。以下、Farshidvard(1383:76)の用例である[5]。

16) dišab sāat-e hašt ğazā mi-xord-am.

Last night o'clock 8 food DUR-eat (PAST)-1SG

(Last night I was eating dinner at 8 o'clock.)

上記の例では昨夜の8時の食事が一定期間に継続したという解釈である。以下、継続アスペクトとして(Mahootian 1997:240)が挙げた用例である。

17) Farānse zendegi mi-kard-am.

France life　　　DUR-did-1SG

(I used to live in France.)

17)では話者が一時期フランスに住み続けたと判断できる。

さらに、「〜が痛い、〜が震えている、目が見える」など、一部の身体状態も mi-を用いて表現されたら進行中の事態を示すのである。

18) sar-am dard mi-kon-ad.

Head-1POSS ache DUR-do-3SG

(I have headache.)

---

[5] Farshidvard(1383)によると、-mi は古いペルシア語で継続中の出来事を描写したが、

19) dast-ā-m mi-larz-e

Hand-PL-1POSS DUR-shake-3SG

(My hands are shaking.)

4. dāštan による進行表現

補助動詞の dāštan が動詞によって継続中の事態を表す他に、近未来および発生直前の出来事を指すこともある。例 20)が未来の出来事を、21)が発生直前の出来事を、22)が進行中の事態を描写している。

20) Pedar-am farad dār-e mi-re āmrika.

Father-1POSS tomorrow PROG-3SG DUR-go-3SG America

(My father is going to go to America tomorrow.)

21) qatār dār-e rāh mi-oft-e.

Train PROG-3SG way DUR-fall-3SG

(The train is going to depart.)

22) dār-am telvizion mi-bin-am.

PROG-1SG TV DUR-view-1SG

(I am watching TV.)

補助動詞の dāštan で描写される進行表現に大きく関係するのはまさにダイナミズムの有無である。ここでいうダイナミズムとは先行研究でも述べられているように事態の継続に必要となるエネルギーのことである。進行形で描写される事態はこの条件を満たさなければならない。下記の例はどれも継続するのにエネルギーを要する事態であり、ダイナミックな事態であることから dāštan による進行形が自然な表現である。

23) dāšt-am harf mi-zad-am.

PROG(PST)-1SG word DUR-hit-1SG

(I was talking.)

24) ū   dār-ad   ketāb   mi-xān-ad.

s/he PROG-3SG book DUR-read-3SG

(S/he is reading a book.)

しかし、xābidan (to sleep)、istādan (to stand)、nešastdan (to sit down)、māndan(to stay)のような動詞が継続するのにエネルギーを必要としない。むしろ、発生後にエネルギーを失し、ダイナミズムに欠けることから dāštan を用いて進行形で表現できない。dāštan を用いて進行形で表現されている下記の例では、寝る前の事態を指し示している。「睡眠中」という事態が現在進行形で表現される英語と違ってペルシア語では現在完了形で表現される。

25) ū dār-ad   mi-xāb-ad.

s/he PROG-3SG DUR-sleep-3SG

(S/he is going to sleep.)

26) ū   xābide ast.

s/he sleep-PP is-3SG

(S/he is sleeping.)

このように、発生前と比べ、発生後にダイナミズムに欠ける状態動詞の場合、進行中の事態を表現するのに現在完了形が用いられる。

また、dāštan による進行表現の否定形が不可能であることも、ダイナミズムの欠如に起因する意味論的な理由が背後にあると考えられる[6]。

27) *Na-Dār-am harf   mi-zan-am.

NEG-PROG-1SG word DUR-do1SG

(I am not talking.)

28) *Na-Dāšt-am harf mi-zad-am.

NEG-PROG(PST)-1SG word DUR-do-1SG

(I was not talking.)

さらに、先行研究でも述べられているように、状態動詞の dānestan (to know)、

---

[6] dāštan で表現される進行形はイラン南部のヤズド方言で否定形も可能である。否定形にならない。したがって、これらの例はヤズド方言で正文となる。

および būdan (to be)のような状態動詞と補助動詞の dāštan が共起しない。こ
れらの動詞も継続するのに新たなエネルギーを必要としないことも注目に値
する。

29) *ū moallem dār-ad ast.

　　s/he teacher PROG-3SG is

　(Intended meaning: s/he is teacher.)

30) ū moallem ast.

　　s/he teacher is

　(S/he is teacher.)

また、これらにより形成されうる Montazer Būdan (to wait)、Omidvār Būdan
(to hope)、entezār dāštan (to expect)のような状態動詞も、dāštan を用いての進行
形の表現が不可能である[7]。同じ意味領域に属する Omidvār šodan (to hope、to
expect)の場合、継続可能となるのでその限りではない。

５. 補助動詞の dāštan のソースについて

dāštan の起源は、古代ペルシア語現在語幹 dārya（手に持つ、所有する、移
り住む）にさかのぼる[8]。中世ペルシア語の dāštan（現在語幹 dār）は「所有」
を意味した[9]。百数十年前から始まった文法化により、継続アスペクトを描写
するようになったと思われる。現代ペルシア語における dāštan が文法化して
継続アスペクトを表すことになった時期とその理由についていくつかの先行
研究がある。Keshavarz(1962)及び Dehghan(1972)は 19 世紀までの近代ペルシ
ア語の数多くのテキストを検索した結果、継続アスペクトを示す補助動詞の
dāštan が一切見つからなかったと報告している。またこれらのテキストでは

---

[7] VAhidian Kamyar(1373)は xābidan(to sleep)や māandan(to stay)のように、発生時は瞬間
的であるが、発生してから一定の期間中はその状態が継続する動詞を瞬間・継続動詞
と呼んでいる。

[8] Abolgasemi (1357:178)、Kent(1953:189)

[9] Ēn farzand i andar aškamb dāram. Abolgasemi (1357:204)
This child-INF in　　womb have-1SG
(This child (that I have) in my womb.)

接頭辞の mi-がつく未完了形が同時に継続のアスペクトも表していると結論
付けている。

継続アスペクトとして一番古い用例として記録されているのは
Zhukovskij(1888)テヘラン方言の下記の表現である。

31) dār-e mi-raqs-e.

PROG-3SG DUR-dance-3SG

(S/he is dancing.)

Nematollahi(2015)はペルシア文学の数作品に出現する dāštan が 20 世紀の初
頭から増えつつあると報告している。

ペルシア語の文学作品における dāštan の増加傾向 Nematollahi(2015:106))

	Year of Publication	Genre	Total number of words (Approximately)	Total number of PROG. forms	Frequency of PROG forms
Čarand parand	1890	Play	23500	0	0
The three Persian Plays	1907-1908	Satirical essays	25500	2 1PRES 1 PT 0 EV	0.008
The collection of Jamālzāde's works	1921-1974	Short story	169000	62 41 PRES 21 PT 0 EV	0.037
Two plays by Ya'qubi	1998, 2010	Play	21000	79 66 PRES 13 PT 0 EV	0.376

20 世紀に入って継続アスペクトとして dāštan が書き言葉に現れるように
なる。例 21)は Dehkhoda(1907)から引用した文である。

32) ādam-hā-ye āqa dār-and   mi-āy-and.

servant-PL-of gentleman PROG-3PL DUR-come-3PL

(The Gentleman's servants are coming.)

この形式は現代ペルシア語で特に口語によくあらわれる形式であって、定着
した文法項目である。

6．他のイラン語派における進行形

　イラン南東部で話されているイラン語派のバルーチー語および西部のクルド語では進行形を示すのに to be 動詞が用いられる。以下はバルーチー語の用例である。

33) man wǎn-ag　　na-h-un.

　　I 　read 　　　NEG-is-1SG

(I am not reading.)

　タジキスタン共和国の国語で語彙的・文法的にペルシア語に近いタジック語で進行中の事態を示すのに、現在形を示す mē-が用いられるほか、過去分詞と補助動詞の istōdan(to stand)が用いられる。

34) mē-rav-am　　　(I go.)

　　DUR-go-1SG

35) rafta istōda-am　　(I am going.)

　　gone stand(PP)-1SG

36) rafta istōda bud-am　　(I was going.)

　　gone stand(PP) was-1SG

　また、北部で話されているギーラキー語では進行表現を表すのに kār(to do, make)の構造が用いられるなど、ペルシア語と同様に to have 動詞が用いられるのはイラン北部のマーザンダラーン州で話されるマーザンダラーニー語のみである。例37)は(Shokri 1999:230)から引用した。

37) dar-eme　　kār-me.

　PROG-1SG work-1SG

(I am planting.)

38) day-me kašt-eme.

　PROG-1SG worked-1SG

(I was planting.)

7．まとめ

　本稿ではペルシア語における進行表現の語彙的および文法的な構造を概観
し、補助動詞の dāštan(to have)が用いられる統語的・意味的な要因に着目した。
また、dāštan と共起する動詞の必要条件としてダイナミズムが不可欠である
ことを述べた。さらに、daštan による進行表現の出現した理由について先行
研究で挙げられた mi-による進行表現の希薄化や言語接触などによるマーザ
ンダラーニー語からの借用の可能性に触れた。言語接触による確定的な証拠
がない限り daštan の文法化による進行表現の出現は言語内の変化による現象
だと言わざるを得ない。

略号リスト
1SG: first person singular
2SG: second person singular
3SG: third person singular
DO: direct object
DUR: duration
EZ: Ezafe
OM: object marker
PL: plural
PN: proper noun
POSS: possessive
PP: past participle
PROG: progressive
PST: past
SG: single

参考文献

Abolgasemi, Mohsen. 1357. *Dastur tarikhi zabane farsi*. Tehran: Samt.

Bybee, Joan; Revere Perkins; William Pagliuca. 1994.*The evolution of grammar: Tense, aspect, and modality in the languages of the world.* Chicago & London: The University of Chicago Press.

Dehghan, Iraj. 1972. Dāshtan as an auxiliary in contemporary Persian. *Archiv Orientälni* (Praha) 40: 198-205.

Dehkhoda, Aliakbar. 1907. *Charand-o-Parand*. Nashre Marefat.

Ekati, Faride; A'taollah, Sanchouli. 1379. Nemoude estemrari dar zabane farsi ba asase nazariyeye pishnemounagi, *zabanpazhouhiye daneshgahe Azzahra*, sale 10, NO. 29: 219-241.

Farshidvard, KHosro. 1383. *Fe'l va gorouhe fe'li va tahavvole an dar zabane farsi, pazhuheshi dar dastour tarikhiye zabane farsi.* Soroush.

Golfam, Arsalan. 1385. *osule dastoure zaban*, Tehran: Entesharate Samt.

Jahanpanah Tehrani, Simindokht. 1363. Fe'lhaye lahzei va tadavomi, *Majalleye zabanshenasi*, Sale avval, No 2, 64-100.

Kent, R., G., 1953. *Old Persian.* New Haven, Connecticut, American Oriental Society

Keshavarz, K. 1962. mozāre' va māzi-ye malmus [The continuous present and past]. *Rāhnemā-ye Ketāb* 5. 687-94.

Lormie, D. L. R.1916. Notes on the Gabri Dialect of Modern Persian. *Journal of the Royal Asiatic Society of Great Britan and Ireland.* 423-89.

Mahootian, Shahrzad.; Gebhardt, Lewis. *Persian Descriptive Grammars*, Taylor & Francis Routledge.

Makaremi, Zhaleh.; Shoja' Tafakkori Rezai.; Vali Rezai. 1400. Ta'amol af'ale Insta va Nomoudhaye Dastouri dar Zabane Farsi; Rouikardi Naghshgara. *Nashriyeye Pazhouheshhaye Zabanshenasi.* NO.23. 73-96.

Naghzguye kohan, Mehrdad. 1389. Af'ale mo'in va namayeshe nemoud dar zabane farsi, *Adabe Pazhouheshi.* No.14: 93-110.

Nematollahi, Narges. 2015. Development of the Progressive Construction in Modern Persian. *In Özçelik Öner and Amber Kent (eds.), Proceedings of the 1st*

Conference on Central Eurasian Languages and Linguistics, 102-114.

——————— . 2018. HAVE-progressive in Persian: a case of pattern replication? *Diachronica* 35:1, 2018, pages:144-156

Ostaji, A'zam. 1385. Gozar az malekiyyat be nemoud dar zabane farsi, *Nashriyeye daneshkadeye adabiyyat ca olume ensani daneshgahe shahid Bahonare Kerman,* No19. 1-15.

Rasekhmahand, Mohammad. 1388. *Goftarhayi dar nahv,* Tehran; Nashre Markaz.

Rezai, Vali. 1391. Nemoude estemrari dar farsie mo'aser, *fonoune adabi,* Sale 4, NO. 1: 79-92.

Shokri, Guiti. 1990. Sākht-e fe'l dar guyesh-e Māzandarāni-ye Sāri [Verb system in the Māzandarāni dialect of Sāri]. *Farhang* 6. 217–231.

Vafaeian, Gh. 2012. Progressive constructions in Iranian languages. Proceedings of the Doctoral Festival 2010, Department of Linguistics, University of Stockholm.

Vahidian Kamyar, Taghi. 1373. Fe'lhaye Lahzei, Tadavmi, Lahzei-Tadavomi, *Zabanshenasi.* NO. 9(2)., 70-75.

Zhukovskij, Valentin. 1888. Osobennoe znacenie glagola dästän v persidskom razgovornom yazyke [Special meaning of the verb dāshtan in spoken Persian]. *Zapiski Otdeleniya Imperatorskago russkago arkheo-logicheskago obshchestva Vostochnago* 3.376-77.

現代ヒンディー語の未完了相と進行表現について
The expression of imperfective and progressive aspects
in Modern Hindi

西岡　美樹（大阪大学）

Miki NISHIOKA (Osaka University)

要　旨

本稿では、現代ヒンディー語（話し言葉レベルのウルドゥー語も含む）の①「未完了分詞」、②「未完了分詞＋コピュラ」の複合形、さらに進行相を表わす③「語幹＋rahā＋コピュラ」の複合形について、Deo（2007）のインド諸語の時制・相の歴史的変遷に関する仮説に照らし合わせながら、Masica（1991：269）が指摘する、③の複合形をもつヒンディー語とブラジ語、そうでないアワディー語、ボージプリー語等の例を観察し、現代日本語の動詞のル形とテ形＋存在動詞との類似性、並行性について考察する。

キーワード：ヒンディー語、未完了相、進行表現、インド諸語、方言

1 はじめに

Masica（1991：262-279）でもインド諸語（Indic languages）[1]に関する相（aspect）について言及されているが、現代ヒンディー語（以下、必要のない限りヒンディー語とだけ呼ぶ）の相は大きく二つに分かれる。一つは動詞の形態が示す相で、未完了分詞（imperfective participle）並びに.完了分詞（perfective participle）が表わす未完了・完了の相に当たる。もう一つは、別の動詞（助動詞も含む）を付加して表わす相、いわゆる語彙的アスペクト（lexical aspect）である。アクチオンスアルト（Aktionsart）とも呼ばれるこの語彙的な相が、Poriźka（1967-69）、Hook（1974）、

---

[1] インド・ヨーロッパ語族の支流に当たるいわゆるインド・アーリヤ諸語（Indo-Aryan languages）のこと。以下、筆者は基本的にこの名称で呼ぶが、参考文献、引用文献の著者が使用している場合は、そのまま Indo-Aryan も使用する。

町田（1983）のような研究者たちにより20世紀半ば過ぎから研究されてきた。その理由の一つとして、「複合動詞（compound verbs、H. saṃyukt kriyāeṁ）」というV1+V2の動詞連結構造が織り成す「相」に対し、英語をはじめとする彼らの母語では語彙的なV2が使用されることはあまりないことが指摘できよう。この語彙的なV2とは、例えば、行為の完遂を表わすV2のjānā「行く」、denā「与える」、lenā「取る」や結果状態に関わるrakhnā「置く」のような動詞がV2として補助的に使用される動詞のことである。これらを日本語に当てはめてみれば、テ形接続の「しまう」、「おく」や連用形接続の「だす」、「まくる」のような補助動詞が表わす意味に相当する。非日本語母語話者にはこれらのニュアンス的な違いが理解しにくいのと同様に、ヒンディー語の非母語話者の研究者らの関心が、これらの用法を解明することに向いたのも至極自然なことであったろう。

　さらに、Masica（1991 : 262、266）は1990年代前後にインド諸語の個々の言語についての相に関する研究が出てきているが、インド諸語を包括した類型論的かつ歴史的研究はなかったと述べている。その種の研究がおざなりにされてきた理由の一つに、インド諸語の相・時制の基本的な組み合わせは、スラブ語の不完了体・完了体にみられるものとは異なり、英語への翻訳が比較的容易であるため、さほど問題にされることがなかったとも指摘している。実際、その後の研究を見渡すと、Montaut（2006）やPoornima & Koenig（2009）のような研究があるが、これらは相と能格性に関心が置かれており、類型論を見据えた相（しばしば時制にも及ぶ）そのものの体系を包括的に記述したものではない。個別言語の文法記述はというと、例えばShapiro（2007 : 266-267）はヒンディー語について、habitual（習慣相）、progressive（進行相）、perfective（完了相）の用語を用い、一方のウルドゥー語のSchmidt（2007 : 324-327）は、durative（継続相）、imperfective（未完了相）、perfective（完了相）を設け、時制（tense）としてdurativeの類義語であるcontinuous、habitual、さらに過去時制のpast tenseという用語を使用し、語学書的な説明を行っている。Deo（2007）は、動詞の形式がもつ未完了性・完了性に着目し、インド諸語における時制・相の変化について、形式意味論も交えて通時的研究を行っている。彼女は、特にマラータ語、ヒンディー語、グジャラート語と、それに接するビール語（Bhīlī）やカンデーシュ語（Khāndeśī）を例に挙げ、インド諸語の中南部の下位グループにおける時制・相の体系の相違点と類似点の解明と、

インド諸語の時制・相の体系の通時的な変化の解明に挑んでいる。これは Masica が指摘した未開拓の分野に踏み込んだ先駆的研究といえよう。

　このような背景を踏まえ、本稿では、Deo（2007）の研究の仮説をもとに、ヒンディー語（話し言葉レベルのウルドゥー語も含む）並びにその東部周辺にある主だった方言の相、特に未完了相と進行表現について焦点を当て、日本語との類似性、並行性をも視野に入れて考察する。

1.1 ヒンディー語並びにインド諸語の転写法

　最初にヒンディー語も含むインド諸語の転写法について述べる。本稿で主に扱うヒンディー語やその方言群の書記には伝統的にデーバナーガリー文字（Devanagari script）が使用されている。昨今ではインターネットの普及により、SNS 等での一般ユーザーによる発信が増えているが、その大半はラテン文字（26文字）で書かれている。このラテン文字による表記法は、一語に対し幾通りも綴りがあり安定していない。その主な理由は、母音の長さ（短母音 a, i, u と長母音の ā, ī, ū）が語の発音の仕方（聞こえ）によって変わることにある[2]。したがって、本稿ではサンスクリット語の転写文字の改良版である ISO 15919 を用いる。ただし、例文では鼻音（ṅ, ñ, ṇ, n, m）の代替記号 ṁ と鼻母音記号 ṁ は使用せず、ã, ĩ, ũ, ẽ, õ や ã̄, ĩ̄, ũ̄ で表わす。同様に、二重母音の鼻母音化したものについても、aĩ と aũ と表記する。

1.2 インド諸語とヒンディー語の系譜

　次にヒンディー語の系譜とインド諸語の時代区分について簡単にまとめる。南アジアの言語研究の一般的な説では、ヒンディー語は、インド・ヨーロッパ語族の中のインド・イラン語派の支流インド諸語派の言語の一つとされる。インド諸語の時代区分は、Old Indo-Aryan（OIA）→Middle Indo-Aryan（MIA）→Modern Indo-Aryan または New Indo-Aryan（NIA）で[3]、OIA ではサンスクリット語（Vedic, Classical

---

[2] インド政府に公式に採用されているといわれるハンター式転写法（Hunterian transliteration system）があるが、これも一部の綴りには採り入れられているものの、母音表記に関しては安定しているとは言い難い。

[3] Masica（1991 : 50-51）では、OIA、MIA、NIA の時代区分がそれぞれ紀元前1500-紀元前

Sanskrit)、MIA ではプラークリット諸語の一つであるシャウラセーニー・プラークリット語（Śauraseni Prākṛt）、さらにそれが西部ヒンディー語となり、その中のカリー・ボーリー方言（Khaṛī Bolī）が、現代ヒンディー語の母体となっているといわれる[4]。また、この言語は、パキスタンの国語かつインド国内でも話されているウルドゥー語とは双生語といえる。というのは、文法が基本的に同じであり、言語構造的には際立った相違点がみられないためである。ただ、語彙的には相違がみられ、口語体ではウルドゥー語同様、外来語のアラビア・ペルシャ系の借用語を比較的多く使用するが、文語体ではサンスクリット語からの借用語を多く使う傾向がある。ヒンディー語の伝統文法上の語彙分類は、サンスクリット語からの借用語（tatsama）、これらの借用が MIA 諸語に入り訛ったもの（tadbhava）[5]、出自不明だが土着で使われてきた語彙（deśaj）、外来語（videśaj）の4つに大別される。このような語彙的に違いはあるものの、言語構造的には酷似している。ゆえに、本稿で「ヒンディー語」という場合は、特に断りのない限り、共通語レベルの「ウルドゥー語」も含むことをお断りしておく。

1.3 ヒンディー語の動詞の形態的特徴

　本題に入る前に、ここでヒンディー語の動詞形態について概観しておきたい。Masica（1991 : 257-258、292）によると、インド諸語の動詞は形態的に Verb Stem (V)＋Aspect Marker＋(concord)＋Tense/Mood Marker＋(concord) で構成されている。その中のヒンディー語は、V＋Asp＋Personal Concord-I (PC-I)＋TM＋Adjectival Concord (AC) となっている。最初の一致は人称（PC-I）、最後は形容詞（AC）つまり性・数による一致となる。

　まず未来時制についてだが、Masica（1991 : 257-325）を参考に、動詞 ā-「来る」の変化形を、人称代名詞と共に掲載する。この場合、相の Asp がゼロで、時制（TM）

---

600 年、紀元前 600-1000 年、1000 年-現在、となっている。

[4] Masica (1991)、Ādarś (2020) を主に参照している。正確には現代標準ヒンディー語 (Modern Standard Hindi : MSH) のことを指すが、多言語国家における主要共通語であり、教育で一律用いられる国語ではない。そのため、ヒンディー語 (特に話し言葉) に多様性が生じており、それ自体がある程度通用しているのが現状である。

[5] tatsama＞tadbhava の例は、jihvā＞jībh「舌」、dugdha＞dūdh「ミルク」、matsya＞machlī「魚」、rātri＞rāt「夜」。

スロットには未来の-g が入る[6]。

表 1 ā-「来る」の未来形

	単数	複数
1	maĩ ā-ū̃-g-ā（男性） maĩ ā-ū̃-g-ī（女性）	ham ā-ẽ-g-e（男性） ham ā-ẽ-g-ī（女性）
2	tū ā-e-g-ā（男性） tū ā-e-g-ī（女性）	tum ā-o-g-e ／ āp ā-ẽ-g-e（男性） tum ā-o-g-ī ／ āp ā-ẽ-g-ī（女性）
3	vah ā-e-g-ā（男性） vah ā-e-g-ī（女性）	ve ā-ẽ-g-e（男性） ve ā-ẽ-g-ī（女性）

　次に現在時制についてだが、現代ヒンディー語では単純形はなく、未完了分詞＋コピュラ[7]（日本語の助動詞「だ」や「いる／ある」に相当）という複合形を使用する。コピュラの現在時制を表わす形は以下の通りである。

表 2 ho-「だ／いる／ある」（コピュラ）の現在形

	単数	複数
1	maĩ h-ū̃	ham h-aĩ
2	tū h-ai[8]	tum h-o ／ āp h-aĩ
3	vah h-ai	ve h-aĩ

　Masica（1991 : 285）は、インド諸語の助動詞（Auxiliary : AUX）に関して以下

---

[6] Kellogg（1893 : 231）は、未来接辞＋AC [gā] は、Sanskrit の gataḥ 'going' から来ているという。Platts（1874 : 142）や Schmidt（2005）は、完了分詞 gayā, 'gone' の短縮形と述べている。なお、Schmidt（2005）にある例からも分かるように、この [gā] を接辞と認識しているヒンディー語と違い、ウルドゥー語は分かち書きする。つまり、ウルドゥー語では、あくまで語彙→接語の文法化と認識されているといえる。

[7] 町田（1981 : 77-78）はこのコピュラがインド・ヨーロッパ語族的な「時制」というカテゴリーから説明するのは不都合であると指摘しているが、差し当たり時制を表わすものとして話を進める。

[8] Masica（1991 : 283）では、二重母音 ai を、デリーを中心とした現代の発音に忠実な [ɛ] で、複数形の aĩ を [ɛ̃] で表記している。

111

のように述べている。

A detailed history of the auxiliary (and of the closely connected existential verb and copula, the anchor of the system) in every language is too complicated and too controversial a problem to treat here.

このため、学者によっては注記の際に AUX を使うことがしばしばあるが、本稿では、筆者が提示する例についてはコピュラ（Copula：COP）で統一する。

なお、このコピュラとともに用いる未完了分詞の構成は［語幹＋未完了[9]（-t-）＋AC］である。例は上掲表と同じ「来る」を使う。

表 3 ā-「来る」の未完了分詞

	単数	複数
男性	ā-t-ā	ā-t-e
女性	ā-t- ī	

最後に過去時制だが、これは完了分詞を以って表わす。

表 4 ā-「来る」の完了分詞

	単数	複数
男性	ā-y-ā	ā-(y)-e
女性	ā-(y)- ī	

先の公式に当てはめると、ā-y-ā（男性・単数）、つまり、［語幹＋完了（-y-）＋AC］となる。ただし、このように過去時制を表す定形として完了分詞を用いる場合は、形容詞変化では通常見られない女性形の単数と複数の違いが生じる。上掲例を使うと、ā(y)ī（女性・単数）と ā(y)ī̃（女性・複数）となる。

このように、ヒンディー語では、一律に性、数、人称によって形態の違いが明示されるわけではない。したがって、本稿ではこのように形態的に表示されてい

---

[9] Masica（1991：292）はこの相を Habitual（Hab）と表記している。

ない、あるいは形態の違いが不明瞭なものについては、基本的にグロスを表記しない。

2 未完了相と進行表現

相の議論でしばしば引用される Comrie (1976 : 25) は、未完了相 (imperfective) の下に習慣相 (habitual) と継続相 (continuous)、さらに継続相を非進行相 (non-progressive) と進行相 (progressive) に分類している[10]。Deo (2007 : 162) では、仮説として NIA 期の進行相と非進行相と動詞形式の対応表を以下の通り示している。

表 5

	progressive	non-progressive
Stage 1	V_{impf}	
Stage 2	$V_{impf} + Aux_{tns}$	V_{impf}
Stage 3	$V_{impf} + Aux_{tns}$	

女史の$impf$はOIAの現在形由来の接尾辞（後述）を伴った動詞形を指す。AUX は助動詞を指すが、これがtns (tense) を表示する。これを手掛かりに、ヒンディー語とその方言では未完了相を伴う動詞形式がどのように用いられ、それがどのような意味（つまり「相」）を表わすかについて観察したい。

2.1 未完了形

まずは-t 接辞の未完了分詞つまり未完了形を定形述語に持つものを観察するが、ヒンディー語と、ブラジ語、アワディー語、ボージプリー語のヒンディー語方言に分けて観察する。これらの方言を簡単に紹介すると、ブラジ語はヒンディー語（カリー・ボーリー方言）の東隣、UP（ウッタル・プラデーシュ）州西部で、アワディー語は UP 州中央及び東部でそれぞれ話されている。この二つは共に前近代には韻文学が開花し「言語」の地位にあったが、現代では地方の一方言に逆戻

---

[10] Masica (1991 : 269) では、一般論として Imperfective が Iterative と Durative に分かれるとしているが、Comrie（上掲書）の枠組みに従ったのか、後者二つを Habitual と Continuous に読み替えている。

りしており、専ら話し言葉で使用される。ボージプリー語[11]はヒンディー語圏の中心からさらに離れ、主に UP 州東部からビハール州にまたがって話される言語である［Masica（1991：12, 23)］。

2.1.1 ヒンディー語

(1)は「ああ、僕がお金持ちだったら…。」という反実仮想[12]となっている例である。

(1) kãś   maĩ   amīr   *ho-t-ā..*
     would that I   rich   COP-**IPFV**-m.sg
     'Oh, if I were rich.'

ヒンディー語では、このような仮定の表現、つまりいわゆる仮定法の場合にこの未完了形を使用する。しかし、以下の(2)のような例もみられる。

(2) vo   apne   baṛe   bhāī   se   madad
     that.sg (=he) own   elder.m.obl   brother.m   to   help.f.sg
     mã̃gne   *jā-t-ā*   to   baṛā   bhāī   dutkār
     request.INF.obl go-**IPFV**-m.sg   then   elder.m.sg   brother.m   scolding.m
     kar   vāpas   bhej   *de-t-ā*
     do.CONJ   back   send   give.**IPFV**-m.sg
     'Whenever he went to ask his elder brother for help, the elder brother scolded him and sent him back.'

   Jāduī cakkī：https://youtu.be/L5mlfrKKAh8?t=31

---

[11] この 3 つの方言の中で、現在言語としての存在感が一番強いのは、このボージプリー語である。それは今でもボージプリー映画が作られ、インド国内外を問わず地元出身者に人気があることからも窺える。

[12] Schmidt（2005：§622）はこれを未完了形の irrealis の用法としている。Masica（1991）は contrafactual と呼んでいる。

(2)は物語の語りである。日本語でもこのような場合、事実の叙述 「彼が自分
の兄に助けを求めに行ったら（行くと）、兄は叱って追い返しました。」のような
表現も可能である一方、「彼が自分の兄に助けを求めに行くと、兄は叱責して追い
返す（のです）。」ということができる[13]。

2.1.2 ヒンディー語方言

以下は古いブラジ語の詩から引用した例である。

(3) kachuk *khā-t*   kachu   dharani   *girāv-at*
     some   eat-**IPFV** some   floor /earth drop-**IPFV**
     chavi *nirakha-t-i*   nand-raniyã̄
     grace observe-**IPFV**-f Nanda-queen (=Yashoda)
     'Some he eats, some he throws to the floor. Yashoda observes the grace.'

Snell (1992:11) and Sūrdās: *Sūrsāgar*[14]

https://www.ecitutorial.com/surdas-ke-pad-class-12

(3)では *khāt, girāvat, nirakhati* のように未完了分詞（筆者の注釈では impf ではな
く IPFV）を単独で使用している。現代語から見ればコピュラが欠落しているよう
にみえるが、Masica（1991 : 273）や Deo（2007 : Ch.4, Ch.5）の議論にもあるよう
に、この形のみで現在時制を表わせていたとも解釈できる[15]。紙面の都合上、ここ
は一例にとどめるが、アワディー語の Saksena（1971 : 240）もまた、古いアワデ

---

[13] Schmidt（2005 : §622）はこの用法を 'narrative imperfective' と呼び、通常、習慣過去の複合
形（本稿(4)を参照）で始まり、過去に定期的に起こった出来事を描写するが、物語の進行と
ともに、助動詞が消去され、未完了分詞のみが残ると説明している。町田（1981 : 84-85）
も、過去の行為や習慣の叙述との関連について言及している。
[14] Varmā（1933 : 61）は、Sūrdās の作品はおそらく 1550 年までには書かれていたはずだが、
この作品については1749 年以前の写本が見当たらないため、そこに使用されているブラジ
語がどの程度当時（16 世紀）のものかは定かでない、とも述べている。
[15] Snell（1992 : 11）は、この形が現代ヒンディー語の未完了分詞の機能のみならず、未完了
現在（present imperfective）、継続または進行（continuous）、史的現在（historic present）を表わ
すと述べている。

ィー語（Early Awadhi）では未完了形のみで、直説法現在（Present Indicative）を表わしていたと述べている。

2.2 未完了形＋コピュラ

次に未完了形＋コピュラの複合形について観察する。

2.2.1 ヒンディー語

以下は習慣あるいは一般論的な（generic）意味を表わした例である。

(4) a. ram   roz   skūl   *jā-t-ā*   h-ai

      Ram   everyday   school.m   go-**IPFV**-m.sg   COP.PRS-3.sg

      'Ram goes to school every day.'

    b. ram   roz   skūl   *jā-t-ā*   th-ā.

      Ram   everyday   school.m   go-**IPFV**-m.sg   COP.PST-m.sg

      'Ram used to go to school every day.'

(5) pṛthvī   *gūm-t-ī*   h-ai

    earth   spin-**IPFV**-f   COP.PRS-3.sg

    'The earth goes around.'

(4a)も(5)も「ラームはいつも学校に行く／行っている。」、「地球は周る／周っている。」のように日本語ではいわゆるル形もテ形＋存在動詞のテイル形も使用できる。(4b)は過去に習慣的に繰り返し「行っていた」ことを表わす。以下の(6)も未完了形とコピュラの複合形だが、解釈される意味が上記の例とは異なる。

(6) maĩ   abhī   *ā-t-ī*   h-ū̃.

    I   right now   come-**IPFV**-f   COP.PRS-1.sg

    'I am coming.'

(6)は「（少し外すけれども）すぐ戻るから」という文脈で使用される、いってみ

れば近未来に使用されている例である[16]。

2.2.2 ヒンディー語方言

以下、未完了形とコピュラを使った例を挙げる。

(7)　a. ram　　　roj　　　　　skūl　　　　*jā-t-o*　　　　　h-ai
　　　　Ram　　everyday　　　school　　　go-**IPFV**-m.sg　　COP.PRS-3.sg
　　　　'Ram goes to school every day.'

　　　b. ram　　　roj　　　　　skūl　　　　*jā-t*　　　h-ai
　　　　Ram　　everyday　　　school　　　go-**IPFV**　　COP.PRS-3.sg
　　　　'Ram goes to school every day.'

　　　c. rām　　　　skūl　　　*jā-t*　　　bā[17].
　　　　Ram　　　　school　　go-**IPFV**　COP.PRS-3.sg
　　　　'Ram is going to school (now).'

(7a)はブラジ語、(7b)はアワディー語、(7c)はボージプリー語の例である。ヒンディー語に近いブラジ語は動詞の未完了形に性と数によって変化する形容詞接辞が付いているが[18]、アワディー語やボージプリー語では性・数の違いがはっきり現れなくなる。(7a)と(7b)は習慣的な動作を表わす意味になるが、ボージプリー語では、これが進行の表現になる[19]。習慣の意味になる例は2.4 で扱う。

　次の(8)はアワディー語の(7b)の roj「毎日」がないものである。この場合、進行

---

[16] 同じ意味で、この複合形の代わりに、単純過去を表わす完了分詞 ā-ī [come-PFV.f]を使用し、'maĩ abhī ā-ī.'ということもできる。さらに、2.3 で述べる進行を表わす形式も使える。

[17] コピュラとしているこの助動詞は、Ādarś（2020 : 159-162）の文法書では掲載されていないが、Siṁh（2009:70）では3 人称・単数・男性形となっており、また、Verma（2007 : 535）では ha vs. bā の対立があるという。日本語の「だ」vs.「いる／ある」の違いに相当するもののようである。

[18] この例は情報提供者によるものだが、形容詞接辞の-o は、該当の文法書を参照する限り元々-u だと推察される。

[19] これは情報提供者の例である。Ādarś（2020 : 165）では2.3 で扱うヒンディー語の進行表現の複合形に対応するボージプリー語のこの複合形についての言及があるが、Siṁh（2009 : 84-85）ではそれがなく、ヒンディー語もボージプリー語も「未完了形＋コピュラ」の複合形を一括 ghaṭmān kāl 'progressive tense'群としている。

の意味で解釈される。

(8) ram　　skūl　　*jā-t*　　h-ai
　　Ram　　school　　go-**IPFV**　　COP.PRS-3.sg
　　'Ram is going to school (now).'

2.3　語幹＋rah'remain'-AC（完了分詞）＋コピュラ

　専ら進行表現に使われるのが本節で扱う「語幹＋rah-AC（完了分詞）＋コピュラ」の複合形である。ここで使用されている rah-AC は、動詞 rah-nā の完了分詞である。この動詞は、語彙としても使用され「残る（remain）、留まる（stay）、住まう（reside/live）」のような様々な意味を表わす。ヒンディー語では、コピュラ相当の助動詞のような使い方もあるが[20]、ここでの詳細な観察は割愛し、ヒンディー語のこの複合形の一般的な例を観察する。

2.3.1　ヒンディー語

(9) a. rajendr　　kām　　kar　　*rah-ā*　　　　h-ai.
　　　Rajendra　work.m　do　　remain-PFV.m.sg　COP.PRS-sg
　　　' (lit.) Rajendra is doing a work.' = 'Rajendra is working.'
　　b. rajendr　　kām　　kar　　*rah-ā*　　　　th-ā.
　　　Rajendra　work.m　do　　remain-PFV.m.sg　COP.PST-m.sg
　　　' (lit.) Rajendra was doing a work.' = 'Rajendra was working.'

---

[20] 例としては以下のようなものが当たる。'huā'（ナル動詞相当の過去形）を同様の意味で用いることもできる。
　　tumhārā　　imtahān　　kaisā　　rahā /huā?
　　your.m.sg　exam.m　　how.m.sg　COP.m.sg/be.PST.m.sg
　　'How was your exam?'
ここで、ヒンディー語のコピュラの過去形である thā [m.sg]は使用できない。この動詞もしくは助動詞 rah-について、Varmā（1933 : 278）は、Chatterji（1926 : 1040, §768）が OIA、MIA 含め詳細に検討したが、この rah-の出自について最終的な結論が出ていないと述べている。アワディー語やボージプリー語では、過去を表わす助動詞にはこの rah-が使われるが、それとの関連も考えられる。

c. rajendr   kām   kar   *rah-ā*   ho-g-ā.

Rajendra   work.m   do   remain-PFV.m.sg   COP-FUT-m.sg

' (lit.) Rajendra will be doing a work.' = 'Rajendra will be working.'

(9)はいずれも進行表現である。(9a)は文末のコピュラが現在時制で、(9b)が過去時制である。(9c)の文末のコピュラの未来時制は、日本語の断定の助動詞「だ」（未然形）＋推量の助動詞「う」で形成される「だろう」相当の意味になる。

　もう少し例を挙げて観察する。

(10) maĩ   umedā   jā   *rah-ā*   h-ū̃.

I   Umeda   go   remain-PFV.m.sg   COP.PRS-1.sg

'I am going to Umeda.'

(11) maĩ   ā   *rah-ā*   h-ū̃.

I   come   remain-PFV.m.sg   COP.PRS-1.sg

'I am coming.'

(10)は「行く」という移動動詞を使用しているが、これには二つの解釈が成立する。一つは「梅田に向かっている最中である」という進行の意味、もう一つは「これから梅田に向かう」という近未来の意味である。(11)も移動動詞の「来る」を使用した例だが、(10)と同様、進行と近未来の二つの解釈がありうる。別の動詞を使った例も以下に挙げる。

(12) a. maĩ khānā   khā   *rah-ā*   h-ū̃.

I   food.m.sg   eat   remain-PFV.m.sg   COP.PRS-1.sg

'(lit.) I am eating food.'= 'I am eating.'

b. maĩ khānā   khā-ne   jā   *rah-ā*   h-ū̃.

I   food.m.sg   eat-INF.obl   go   remain-PFV.m.sg   COP.PRS-1.sg

'(lit.) I am going to eat food.'= 'I am going to eat.'

(12)は動詞「食べる」を使用している。(12a)は(10)、(11)と同じ形式を使用したものだが、この場合は進行の意味のみで、近未来の意味には解釈されない。近未来の意味にする場合は、(12b)の英語の be going to INF さながらに動詞「食べる」を不定詞の斜格形にし、「行く」に相当する部分を進行の形式にする。

2.3.2 ヒンディー語方言

これまで扱った方言の中で、この複合形を使用しているものの代表はブラジ語である。

(13) a. ram　　skūl　　jāe　　rau　　　h-ai

　　　Ram　　school　go　　rah.PFV?　COP.PRS-3.sg

　　　'Ram is going to school (now).'

　　b. ram　　roj　　　skūl　　jāe　rau　　　h-ai

　　　Ram　　everyday　school　go　rah.PFV?　COP.PRS-3.sg

　　　'Ram goes to school everyday.'

　　c. ram　　skūl　　jā-ro　　　　h-ai

　　　Ram　　school　go-rah.PFV?　COP.PRS-3.sg

　　　'Ram is going to school (now).'

(13a)と (13b)は語幹 jāe[21]に rahā が訛ったと考えられる rau、さらにコピュラが付加されている。(13a)が進行を、(13b)が習慣を表わすという[22]。 (13c)では rau が

---

[21] jāe は以下のボージプリーにも見られるが、PC-I を含んで一種の語幹を形成しているのか、それとも接続形の一種なのか現在のところ不明である。

[22] Britannica はブラジ語の文法説明で"…compare Braj Bhasha *wo jat hae* 'he is going' (habitual) and *wo roje jat hae* 'he goes there everyday' (continuous) with Awadhi *woh jae rau hai* 'he is going' (both aspects)."とある。しかし、実際にこの複合形を使っているのは、アワディー語でなくブラジ語である。また、この記述では形式の意味が逆で、前者が continuous、後者が habitual となる。ただ、Britannica のこの記述通り、(13b)のようにブラジ語で、この進行の複合形を習慣の意味にも使用することが実際あるという (Pandey 私信)。筆者の経験からヒンディー語でもこの進行表現が習慣ともとれそうな文脈で使用されているのを耳にするため、進行→習慣への変遷過程にあるのかもしれない。これについては、別途研究が必要である。

ro になり、jā に付加されている[23]。接辞化しているのか接語化しているのか不明
だが、先述の通り、ブラジ語は既に書きことばではなくなっているため現時点で
は判断できない。また rau や ro は元々完了分詞だとすると性・数の一致が起きる
はずだが、それによる異形態があるかどうかも不明である。

　なお、アワディー語にはこの複合形は見られないが、ボージプリー語について
は、主要な文法書には掲載されていないものの、例えば 'ho　rah-al　bā'[be
remain-PFV　COP.PRS][24] のような、この進行表現の複合形と同じ構造をした言
い方が、実際インターネット上で散見される。

2.4 その他

　最後に、-t 接辞の未完了分詞を使用しない例を挙げる。

(14) a. ram　　　roz　　　skūl　　　jā-e　　　h-ai.
　　　Ram　　　everyday　　school　　go-PC-I[?]　COP.PRS-3.sg
　　 b. rām　　　skūl　　　jāe-laṁ.
　　　Ram　　　school　　go-COP.PRS.3.HON
　'Ram goes to school every day.'

　(14a)はアワディー語で、(7b)同様、習慣的な動作を表わす。Saksena (1971 : 254-
259) はこの形式を直説法現在 (Present Indicative) と呼んでおり、古いアワディー
語以来存在しているが、現代アワディー語の話し言葉では、コピュラなし（つま
り単独）で用いることはもはやないと述べている[25]。(14b)はボージプリー語の例
である。Ādarś (2020 : 162) は、lā を使った形を sāmāny vartmān kāl「一般現在時
制」と呼び、パラダイムも載せているが、Siṁh　(2009 : 81-84) はこの lā を、ヒ

---

[23] これはブラジ語の情報提供者によるものだが、氏によると習慣の方はこの(13b)ではなく、
前掲の未完了分詞＋コピュラの(7a)を使うとのことである。

[24] Online Bhojpuri Newspaper <http://khabar.anjoria.com/2022/05/08/टटका-खबर-वैशाख-अँजोरिया-
स/>

[25] Siṁh & Tivārī (2000 : 149-159) もまた、同時期のアワディー語で現在時制を表わすのに、
サンスクリット語の現在形の接辞 (tiṅnta) を引き継いだ動詞の形と、分詞 (kṛdanta) の接
辞による動詞の形の二種類があることを示唆している。

ンディー語のコピュラ相当とし、これを使った現在形については「西部ボージプリー語によくみられる形」としてパラダイムに載せていない。

また、Tivārī（1955：237, 243, 248）によると、以下の通り、バーンガル一語[26]やブラジ語でも-t 接辞の未完了分詞を使用しない現在形があるという。

(15) a. maĩ   mār-ũ   s-ũ.

    I   hit-1.sg   COP.PRS-1.sg

   b. haũ   mār-aũ   h-aũ.

    I   hit-1.sg   COP.PRS-1.sg.

   c. maĩ   mār-t-ā   h-ũ

    I   hit-IPFV-m.sg   COP.PRS-1.sg.

   'I hit.'

(15a)がバーンガル一語、(15b)がブラジ語の例である。(15c)はヒンディー語だが、現代ヒンディー語にはこの-t 接辞ではない形は使用されないため、このように未完了分詞を使った複合形で表わすことになる。この(15a)も(15b)も、2.2.2 でもみたように、-t（バーンガル一語は-d）の未完了分詞とコピュラを別に持っており、これらでヒンディー語の形式と同じ意味解釈が並行的にできるのかまでは不明だが、前述の通りアワディー語では現代でも使用されていることを勘案すると、何らかの機能分担がされている可能性があるだろう。

3 形式と意味解釈の相関と日本語との対応

現代ヒンディー語では、現在時制を表わす動詞の単純形、つまり 2.4 でみた「語幹-PC-I」という単独の現在形は存在しない[27]。しかし、周辺の方言では、(14a)、

---

[26] Hariyāṇvī とも呼ばれる、ハリヤナ州や首都デリー周辺で話される方言。

[27] この形は、表 1 の未来接辞 [-g-AC] がない形（例：[1sg] ā-ũ-g-ā→ā-ũ）で、現代ヒンディー語では事象が未来に起こる可能性を表わす、いわば可能法である。Tivārī（1955：499-500）は、OIA の直説法現在から派生したこの現在形が、MIA 後期のアパブランシャ（Apabhraṁśa）でこのような条件法的な意味で使用されるようになったことを示唆している。なお、氏の用語は、H. vartmān-saṁbhāvnārth「現在-可能を表わす」、E. present conjunctive だが、Kellogg（1893：229-231）や Masica（1991：281-282）はこの形を contingent future と呼

122

(15a)と(15b)のように「語幹-PC-I」という古い現在形の遺産が今でも使用されている。今は単独で使用できずコピュラを付ける必要があるが、表5にもある通り、この形は単独でかつて使用できた。その変遷が分かりやすく提示されているものとして、Deo（2007：165-167）が挙げているヒンディー語の姉妹語の一つ、グジャラート語の例（注釈、書体等は原文のまま）をみてみよう。

(16) a. tumhe   atiṣaya-sahita   jñāna-bhāvai-tau   **jāṇ-a u**…
     you   extra-with   knowledge.quality-ABL   know-**impf**.2.PL
     mūrkhbhāvatā   kari   haũ   na   **jāṇ-ũ̃**
     foolishness.quality   due to   I   NEG   know-**impf**.1.SG
     'You *know* because of your ability for extra(sensory) knowledge. Due to my
     foolishness, I do not *know*. (SB.[28] 62.1-2)

    b. tumhārā   bhāṇej   tum-ha   vand-ivā   **āv-ai**
     your   nephew.NOM   you-ACC.SG   greet-INF   come-**impf**.3.SG
     ch-ai
     PRES-.3.SG
     'Your nephew *is coming* to greet you.' (SB. 51.29)

                                                      Deo（2007：165-166）

　(16)は古グジャラート語だが、(16a)では現在形が単独で、(16b)では現在形[29]とコピュラの複合形で使用されている。前者は状態を表わす「知っている」、後者は進行を表わすものになっている。次の(17)は現代語の例である。

び、McGregor（1995：27-29）はsubjunctiveと呼んでいる。このように文法家や学者によって用語が様々なため、語学書や教科書で使用する場合には慎重になる必要があるだろう。

[28] Ṣaḍāvaśyakabālāvabodhaの略。西暦1000-1500年頃の古いNIAに当たるという［Deo（2007：15）］。

[29] ここの注記のimpfは'OIA Present paradigm (and cognates)'を指す。Deo（2007）は、impfはOIAの現在形語尾（上述のtiṅnta）由来だが、MIAでは未完了相のマーカーになっており、時制を示さなくなっていたという。この時制と相の関連性については、Deo（2007：§4.4, §4.5等）を参照されたい。

(17) a. niśā   atyāre   rasoḍā-mā   roṭli   **banāv-e**

N.NOM.SG   now   kitchen-LOC   bread.NOM.SG   make-**impf**-3.SG

ch-e.

PRES-3.SG

'Niśā *is making* bread in the kitchen right now.'

    b. niśā   roj   roṭli   **banāv-e**   ch-e.

N.NOM.SG   everyday   bread.NOM.SG   make-**impf**-3.SG   PRES.3.SG

'Niśā *makes* bread everyday.'

Deo（2007：167）

　　(17a)も(17b)も(16b)と同じ複合形だが、(17a)「ローティー（パン）を作って
いる最中」という進行の意味解釈と、(17b)の習慣の意味解釈が両方可能である
という。つまり、表 5のStage3の進行を表わす複合形が、未完了相（状態、習
慣、一般論等）の意味を表わせるようになっていることが分かる。ヒンディー
語もまた、使用されているのが-t接辞の未完了分詞が主だが、古期ヒンディー
語、中期ヒンディー語、近代ヒンディー語（19世紀）おおむねこの流れに沿っ
て変化しているようである［Deo（2007：§5.2.3)］。実際、(3)で挙げた古いブラ
ジ語の例が現代ヒンディー語訳されたものをみるとよく分かる。

(18) ve   kuch   *khā-t-e*   haĩ,   kuch   dhartī

that.pl (=he)   some   eat-**IPFV**-m.pl   COP.PRS.pl   some   earth.f.sg

par   *girā-t-e*   haĩ   tathā   is   manorām

LOC   drop-**IPFV**-m.pl   COP.PRS.pl   and   this.obl   delightful

dṛsy   ko   nand   kī   rānī   dekh   *rahī*

scene.m.sg   ACC   Nanda   GEN.f   queen.f   see.STEM   remain.PFV.f

hai.

COP.PRS.sg

Sūrdās: *Sūrsāgar*

https://www.ecitutorial.com/surdas-ke-pad-class-12/

124

2.1で観察した通り、現代ヒンディー語ではこの未完了形自体、物語的な場合を除き現代語では現在時制の定形動詞で使われることはない[30]。したがって、ヒンディー語訳では未完了形とコピュラで習慣を、また、進行を表す場合は、2.3の複合形を用いることになる。

　最後に工藤（1995、2014）、須田（2010）のように日本語学でも盛んに議論される「アスペクト」のうち、「する」（ル形）vs「て・いる／て・おる（とる）」（テ形＋存在動詞）、「する」vs「し・おる（しよる）」（連用形＋存在動詞）の単純形vs.複合形について、Comrie の提示する相に照らして、その類似性、並行性を考察してみたい。

ヒンディー語	相	標準日本語	西日本方言	相
IPFV	（なし）	する	する	習慣
IPFV+COP	習慣	している	しおる／しとる	習慣
		している	しおる	進行
STEM+rah-	進行	－	－	－
AC+COP				

　Deo（2007）の仮説に当てはめてみると、標準日本語は習慣と進行が同じ「て・いる」の複合形[31]となるため、Stage3 にあるグジャラート語やアワディー語と類似している。もっとも、日本語は「して・いる」が進行を表わわし、後に習慣を表わすようになったか否かという歴史的変遷については、筆者の知識の及ばないところである。ヒンディー語については、2.3 でみたように、特殊な複合形で進行を表わすようになっているが、一方で、アワディー語のような、習慣も進行も同じ未完了形＋コピュラで表わす言語もある。これは、標準日本語のテ形＋存在動詞と類似している。

---

[30] Vājpeyī（1943：170）も、ブラジ語には、コピュラが付いたり付かなかったりするが、カリー・ボーリー方言には必ず付くと述べている。

[31] 連用形やテ形を IPFV とできるかは議論の余地はあるが複合であるという前提で話をする。

西日本方言に目を移すと、そこでは「し・おる」という、ある意味特殊な形で進行を表わしているようにもみえるが[32]、仮にこの連用形がインド諸語の「語幹-PC-I」による古い現在形と機能が類似しているとしたら、古グジャラート語でこのコピュラを付加して進行を表わすようになった（「する」vs.「し・おる」）とも考えられる。さらに、インド諸語の場合、サンスクリット語の時制接辞を引き継いだが、その後時制ではなく、相のレベルで使用されるようになった(a)「古い現在形」と、サンスクリット語の未完了分詞の接辞を受け継いだとされる(b)「未完了形」の二つの形式が方言や周辺言語には残っている。日本語の「し」と「して」の成立や対立とは異なるかもしれないが、それぞれの言語の方言では、(a)と(b)あるいは連用形とテ形に存在動詞を組み合わせて共存させている。西日本方言では、相という点で一方を進行、あるいは習慣に特化して使用しているように[33]、ヒンディー語の方言群（姉妹語も含むかもしれないが）でも、相（か何か）のレベルで特化した使用をしている可能性があるだろう。

4 まとめ

本稿では、Deo（2007）のNIA期の進行相と非進行相と動詞形式の対応の仮説をもとに、現代ヒンディー語とその方言を観察し、日本語との対照を試みた。筆者は日本語研究をすべて把握しているわけではないため、表面的な対照になっているかもしれないが、実際、動詞の形式と習慣、進行などの相的な意味の相関という点で、ヒンディー語とその方言（姉妹語も含む）、並びに標準日本語と西日本方の間の類似性、並行性が垣間見られた。この事実が類型論に多少なりとも貢献することを期待したい。

また、本稿で例示したヒンディー語の方言（ボージプリー語を除く）は、現在ではほぼ話し言葉としてしか使用されておらず、また現存の文法書等も半世紀近く前のものが多い。ゆえに、これらの音声言語等の資料も新たに入手し、現代語としての体系的な整理をまず行う必要がある。ブラジ語で進行を表わす

---

[32] 広島出身の筆者は、「しおる」を習慣の意味で普通に使用するため、Deo説に矛盾しないのだが、日本語にどこまで当てはめられるのか大変興味深い。

[33] 方言も個別に細かくみれば、進行、習慣で片付く単純な話ではないのだろうが、Comrie（前掲書）のラベリングにもある最大公約数的な「相」の話である。

特殊な複合形を習慣の意味にまで拡張している可能性があることからも、今後
の研究を進める上でまずは体系の整理が重要といえよう。

略記号

基本的にThe Leipzig Glossing Rules: Conventions for Interlinear Morpheme-by-morpheme Glosses < https://www.eva.mpg.de/lingua/pdf/Glossing-Rules.pdf >にしたが
っている。

謝辞

本稿の執筆にあたり言語資料提供に快く協力してくれた、デリー大学東アジア
研究科の修了生、卒業生の Mr. Vikas Pandey（Azamgarh 出身、アワディー語、ボ
ージプリー語、ブラジ語）、Mr. Bhavya Sharma（Agra 出身、ブラジ語）、並びに指
導教員でヒンディー語の例も確認していただいた Dr. Ranjana Narsimhan
（University of Delhi）にこの場を借りてお礼を申しあげたい。また、Prof. Rajesh
Kumar（IIT Madras）には、ボージプリー語について言語学の面から助言をいただ
いた。ここに改めてお礼を申し上げる。

参考文献

Ādarś, Rājeś Cand. (2020). *Mānak himdī aur bhojpurī kā rūpvaigyānik adhyayan* (Kindle 版). Ghaziabad: Antika Prakashan.

Britannica, T. Editors of Encyclopaedia (2009, June 24). Braj Bhasha Language. *Encyclopedia Britannica*. Accessed 8 August 2022. URL: https://www.britannica.com/topic/Braj-Bhasha-language.

Chatterji, Suniti K. (1926). *The Origin and Development of the Bengali Language Part II: Morphology, Bengali Index*. Kolkata: Calcutta University Press. Accessed 16 July 2022. URL: https://archive.org/details/in.ernet.dli.2015.42610/page/n397/mode/2up

Comrie, Bernard. (1976). *Aspects*. Cambridge: Cambridge University Press.

Deo, Ashwini. (2007). *Tense and Aspect in Indo-Aryan Languages: Variation and Diachrony*. Stanford University. Accessed 20 July 2022. URL: https://ojs.ub.uni-konstanz.de/jsal/dissertations/deo-diss.pdf [PhD. dissertation (unpublished)]

Hook, P. E. (1974). *The Compound Verb in Hindi*. Michigan: University of Michigan, Center for South and Southeast Asian Studies.

Kellogg, S. H. (1893). *A Grammar of the Hindi Language : In Which Are Treated the High Hindí, Braj, and the Eastern Hindí of the Rámáyan of Tulsí Dás, also the Colloquial Dialects of Rájputáná, Kumáon, Avadh, Ríwá, Bhojpúr, Magadha, Maithila, etc., with Copious Philological Notes* (第 2 版). London: Kegan Paul, Trench, Trubner and Co. Accessed 16 July 2022. URL: https://archive.org/details/dli.csl.6183/page/n237/mode/2up

Masica, Colin P. (1991). *The Indo-Aryan Languages*. Cambridge: Cambridge University Press.

McGregor, R. S. (1995). *Outline of Hindi Grammar* (第 3 版). Oxford: Oxford University Press.

Montaut, Annie. (2006). The Evolution of the Tense-Aspect System in Hindi/Urdu: The Status of the Ergative Algnment. In Butt, Miriam, King, Holloway (eds.) *Proceedings of the LFG06 Conference*, pp. 365-385. Accessed 18 July 2022, URL: https://web.stanford.edu/group/cslipublications/cslipublications/LFG/11/pdfs/lfg06.pdf

Platts, John T. (1874). *A Grammar of the Hindustani or Urdu Language*. London: Wm. H. Allen and Co. Accessed 16 July 2022. URL: https://archive.org/details/in.ernet.dli.2015.15691/page/n159/mode/2up

Poornima, Shakthi, Koenig, Jean-Pierre. (2009). Hindi Aspectual Complex Predicates. In Müller, Stefan (ed.) *Proceedings of the 16th International Conference on Head-Driven Phrase Structure Grammar*, pp. 276–296. Accessed 18 July 2022. URL: https://citeseerx.ist.psu.edu/viewdoc/download?doi=10.1.1.1025.9704&rep=rep1&type=pdf

Pořízka, Vincenc. (1963). *Hindština : Hindí Language Course*. Prague: State Pedagogical Publishing House.

----. (1967-69). On the Perfective Verbal Aspect in Hindi. *Archiv Orientální* (35), pp. 64-88, 208-231, (36), pp. 233-251, (37), pp.19-47, 345-364. Accessed 15 July 2022. URL: https://kramerius.lib.cas.cz/periodical/uuid:c5ff669c-3e3e-11e1-8f8f-005056a60003

Saksena, Baburam. (1971). *Evolution of Awadhi (A Branch of Hindi)* (第 2 版). Varanasi: Motilal Banarsidass.

Schmidt, Ruth Laila. (2005). *Urdu: An Essential Grammar* (Kindle 版). Routledge.

----. (2007). Urdu. In Cardona, George, Jain, Dhanesh (eds.), *The Indo-Aryan Languages* (Paperback 版), pp. 286-350. Routledge.

Shapiro, Michael C. (2007). Hindi. In Cardona, George, Jain, Dhanesh (eds.), *The Indo-Aryan Languages* (Paperback 版), pp. 250-285. Routledge.

Siṁh, Kanhaiyā, Tivārī, Anil K. (2000). *Madhyakālīn avadhī kā vikās*. Vārāṇasī: Viśvavidyālay prakāśan.

Siṁh, Śukhdev. (2009). *Bhojpurī aur hindī*. Vārāṇasī: Viśvavidyālay prakāsan.

Snell, Rupert. (1992). *The Hindi Classical Tradition: A Braj Bhasha Reader*. New Delhi: Heritage Publishers.

Varmā, Dhīrendr. (1933). *Hiṁdī bhāṣā kā itihās*. Prayāg: Hiṁdustānī Ekeḍemī. Accessed 16 July 2022. URL: https://archive.org/details/in.ernet.dli.2015.403683/page/n305/mode/2up

Tivārī, Udaynārāyaṇ. (1955 [2012 vikram saṁvat]). *Hindī bhāṣā kā udgam aur vikās*. Prayāg: Bhāratiy-Bhaṇḍar. Accessed 16 March 2022. URL: https://archive.org/details/in.ernet.dli.2015.403228/page/n519/mode/2up

Vājpeyī, Kiśorīdās. (1943). *Brajbhāṣā kā vyākaraṇ*. Kankhal (Haridvār): Himālay ejeṁsī. Accessed 18 July 2022. URL: https://ia801608.us.archive.org/18/items/in.ernet.dli.2015.489304/2015.489304.Brajabhaashhaa-Kaa_text.pdf

Verma, Manidra K. (2007). Bhojipuri. In Cardona, George, Jain, Dhanesh (eds.), *The Indo-Aryan Languages* (Paperback 版), pp. 515-537. Routledge.

工藤真由美. (1995). 『アスペクト・テンス体系とテクスト—現代日本語の時間の表現—』. 東京: ひつじ書房.

—. (2014). 『現代日本語ムード・テンス・アスペクト論』. 東京: ひつじ書房.

須田義治. (2010). 『現代日本語のアスペクト論』. 東京: ひつじ書房.

町田和彦. (1981). 「現代標準ヒンディー語の動詞構造」. 『東京外国語大学論集』31 号, pp.61-96. 東京: 東京外国語大学.

—. (1983). 「ヒンディー語の複合動詞における jaa, le, de の選択について」. 『東京外国語大学論集』33 号, pp.33-61. 東京: 東京外国語大学.

シンハラ語の進行表現
Progressive expressions in Sinhala

宮岸　哲也（安田女子大学）

Tetsuya MIYAGISHI (Yasuda Women's University)

要　旨

　シンハラ語の有標の進行表現は、従来から言われてきた口語と文語の2形式に加え、更に1形式が存在する。そして、それらの使い分けは、文体の違いだけではなく、アスペクト的意味の違いを表すためにも行われる。進行表現の3形式は、使用可能な動詞の制限の有無や程度で異なることと、その要因として、それぞれの形式の成り立ちの違いが関係していることを主張する。

キーワード：動詞重複，付帯状況分詞，完了分詞，語彙的アスペクト

1　はじめに

　シンハラ語は非過去の叙述を表す単純な動詞形式で、無標の進行相を表すことができる (Chandralal 2010: 150)。しかし、反復や継続等の進行アスペクト的な意味を強調する有標形式として、口語では完了分詞語幹 (Perfect participle base) の重複形 (Reduplication)、文語では付帯状況を表す［非過去形動詞語幹＋*min*］の形式に、それぞれ存在動詞 *innawa*（いる）／*tiyenawa*（ある）を後接させることもある。そして、両者はどちらも付帯状況を表す副詞節を作る点で共通し、互換性もある。しかし、*enəwa*（来る）、*yanəwa*（行く）、*gannəwa*（取る）のような動詞は、いずれも口語的な動詞であるにも関わらず、完了分詞語幹の重複形がそもそも存在しない反面、文語形式であるはずの［非過去形動詞語幹＋*min*］の使用例はいくつでも見つけることができる。従って、口語と文語の双方の形式が作る進行表現の違いは、従来から言われてきたような文体の違いだけではなく、それ以外の違いについても考える必要がある。

本稿では、口語と文語の有標の進行表現の概要について説明した上で、それぞれが実際にはどのように使い分けられているのかを、インターネットや母語話者に対する聞き取りにより調査する。そして、シンハラ語の有標の進行表現の種類と、それぞれの成立条件や規則性について明らかにしたい。

2　口語と文語

　ダイグロシア的状況にあるシンハラ語には、日常生活で使われる口語と、書類や紙面、公的なスピーチ等で用いられる文語がそれぞれ存在する。文法的には、主語と動詞の一致が口語には存在しないが、文語には存在する。また、使用する語についても、1 a, b) の「歌」や「歌う」を表すシンハラ語のように口語と文語で異なる場合も少なくない。

1) a. *laməya sinḍu kiyənəwa.*＜口語＞

　　子供　歌.PL 歌う

  b. *laməya gii　　gasə-yi.*＜文語＞

　　子供　歌.PL 歌う-3.SG

3　無標の進行相形式について

　ここでは、本題に入る前に、非過去の叙述形式が進行相を表す理由について述べておきたい。Comrie (1976) では文法アスペクトとして、完結相 (Perfective) と不完結相 (Inperfective) を設定している。完結相は出来事の開始から終りまでの全体をまとめて指し示すのに対し、不完結相は出来事のある局面を内部から取り上げ、その内的な時間構造を示すものである。不完結相は、更に図1のように下位分類される。

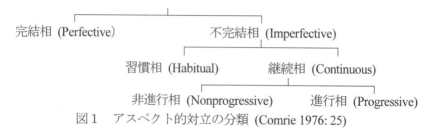

図1　アスペクト的対立の分類 (Comrie 1976: 25)

Piyadigama (2019) は、Comrie (1976) による完結相と不完結相のアスペクト分類をシンハラ語にも適用し、従来から言われてきたシンハラ語の過去と非過去のテンス的対立が、完結相と不完結相の対立であるとみている。2) は、過去の出来事を表した文であるが、（　　）の部分は①非過去でも②過去でも可能である。ただ、①を選ぶと会社を出る前から雨が降っていて、傘を広げた後も雨が降り続いていることを表すのに対し、②を選択した場合は、会社を出てから雨が降り出し、雨が止んでから傘を広げたというような、3つの出来事が時系列的に起こったことを表す。このように動詞が表す状態を非過去形は継続中、過去形は全体を表しているので、それぞれを不完結相と完結相として捉えたほうがいいと Piyadigama (2022) は述べている。シンハラ語の非過去の叙述形式がそのまま進行を表すというのも、そのためである。

2) *ohu   kaaryaaləy-en piṭətə-ṭə aawee-yə.   maha wæssak* (① *ædə hæleyi* /
   3.SG 会社-ABL   外-DAT 来る.PST.FOC-AM 大   雨.INDF   降る.NPST /
   ② *ædə hæluni*).   *ohu   kuḍəyə ihaḷaa gattee-yə.* (Piyadigama: 2022)
        降る.PST   3.SG 傘   広げる.PST.FOC-AM
   彼は会社を出た。激しい雨が（①降っている／②降った）。彼は傘を広げた。

4　有標の進行相形式について

進行相のための特別の形式として、口語では動詞重複形＋存在動詞、文語では付帯状況分詞 (Concurrent participle)＋存在動詞がある (Gair & Karunatilaka 1974: 74-75)。また、従来進行相表現として指摘されてこなかったことであるが、*genə*（不規則変化動詞 *gannəwa*（取る）の完了分詞形）の形式が、動詞の完了分詞に後接され、更にその後に存在動詞をとるような場合でも進行相として用いられる例がシンハラ語の教科書 (Perera 2007) にも見られる。

本稿では、これらの形式がどのような条件で選択されるのかについて、文体の違いだけでなく、個々の動詞が持つ語彙的アスペクト (Vendler 1957) も関係するのではないかと考えている。そこで、個々の動詞が持つ、動態／状態、継続／瞬間、非限界／限界の意味素性と各進行相形式との相関関係を見ることで、シンハラ語進行表現の法則性を明らかにしたい。

133

動作動詞（例：踊る）	動態	継続	非限界
達成動詞（例：読み）	動態	継続	限界
到達動詞（例：開ける）	動態	瞬間	限界
状態動詞（例：愛する）	状態	継続	非限界

表1　語彙的アスペクトの4分類 (Vendler 1957)

4.1 **重複** (Reduplication)

　Abbi (1991:32) は、南アジア言語の諸言語（オーストロ・アジア、チベット・ビルマ、インド・アーリア、ドラヴィダ）を対象に、動詞重複が広範囲にわたって副詞節に用いられ、同時性 (Simiultaneity)、 寸前での不実現性 (Non-Precipitation)、継続－持続性 (Continuation-Duration)、反復性 (Iteration)、連続性 (Sequentiality) のようなアスペクト的意味を表していることを指摘している。また、オーストロ・アジア、チベット・ビルマの一部の言語に限られるが、動詞の重複がそのまま、主節において継続や反復を表す例が示されている (Abbi 1991:32)。Abbi ではシンハラ語は調査対象に含まれていないが、同時性を表すシンハラ語の動詞重複の副詞節用法は、この言語的地域のよくある特徴と一致している。しかし、この地域の言語としては特異な動詞重複の用例がシンハラ語にはあり、それが *innəwa*（いる）や *tiyenəwa*（ある）のような存在動詞を補助動詞としてとり、継続や反復を表す用法である。

　シンハラ語では動詞重複は、完了分詞語幹に限らず、完了分詞、名詞修飾形、不定詞、非過去形、過去形にも見られる (Ananda 2018)。進行相に関わるのは完了分詞語幹の場合であり、以降本稿では、動詞重複はとくに断りのない限り、完了分詞語幹の重複を指す。

　まず、規則変化動詞は、重複形は以下のように区別できる。

　　　　基本形　　　　　　　動詞重複
　Class 1 *kapə-nəwa*（切る）　*kapə kapə*
　Class 2 *badi-nəwa*（揚げる）*bædə bædə*
　Class 3 *wæṭe-nəwa*（落ちる）*wæṭi wæṭi* (Fairbanks, Gair & De Silva 1968: 158)

不規則変化動詞の重複形は以下の通りである。以下は Karuntatillake (1992: 407) からの例である。

基本形	動詞重複	基本形	動詞重複
de-nəwa（与える）	didii	ka-nəwa（食べる）	kakaa
bo-nəwa（飲む）	bibii	we-nəwa（なる）	wewii
e-nəwa（来る）	æwit æwit	gan-nəwa（得る）	aran aran
in-nəwa（いる）	ində ində	tiye-nəwa（ある）	tibi tibi
dan-nəwa（知る）	dænə dænə	daa-nəwa（置く）	dadaa / damə damə
pee-nəwa（見える）	peni peni	gee-nəwa（持ってくる）	genæt genæt
tiyə-nəwa（ある）	tibi tibi	geniya-nəwa（持ってくる）	genihin genihin

動詞重複は、既に述べた通り、それ自体で同時進行の副詞節になる。

3) *eyaa-laa kata kərə kərə uyənəwa.*
　　3-PL　　話　する.RED　料理する
　　彼らは話をしながら料理する。

更に動詞重複は、存在動詞を補助動詞にとることで進行相を表す。有生名詞が主語の場合は、*innəwa*（いる）が用いられる。無生物名詞が主語の場合は、*tiyenəwa*（ある）が用いられる。

4) *laməya sinḍu kiyə kiyə innəwa.*（動作動詞）＜継続的＞
　　子供　歌　歌う.RED　いる
　　子供が歌を歌っている。

5) *laməya potə kiyəwə kiyəwə innəwa.*（達成動詞）＜継続的＞
　　子供　本　読む.RED　　いる
　　子供が本を読んでいる。

6) *ayiya pol* <u>*kadə kadə*</u> *innəwa.* （到達動詞）＜反復的＞

兄　　ヤシの実.PL　摘み取る.RED　いる

兄がヤシの実を摘み取っている。

7) *fan-ekə* <u>*kærəki kærəki tiyenəwa.*</u>

扇風機-DFNT　回る.RED　　ある

扇風機が回っている。

8) *bel-ekə* <u>*wædi wædi tiyenəwa.*</u>

鐘-DFNT　鳴る.RED　ある

鐘が鳴っている。

　なお、Fairbanks, Gair & De Silva (1968: 159) は、*enəwa*（来る）と *yanəwa*（行く）と *gannəwa*（得る）には動詞重複がないと述べているが、Karuntatillake (1992: 407) では、*enəwa* と *gannəwa* の動詞重複として、それぞれ *æwit æwit* と *aran aran* を挙げている。ただ、これらの形式はインフォーマントによれば、不適格との判定もあり、それらの使用には個人差があるようである。

4.2　付帯状況分詞 (Concurrent participle)

　シンハラ語の文語文法を扱った Gair & Karunatilaka (1974: 74-75) では、［非過去形動詞語幹＋*min*］の形式を付帯状況分詞 (Concurrent participle) と呼び、機能的に同時進行を表す副詞節を作ると同時に、口語文法での動詞重複に相当するものであるとも述べている。

9) *upaasəkə ayə baṇə <u>asa-min</u>　pansəlehi siṭiti.* (Gair & Karunatilaka 1974: 75)

在家信者　　説教　聞く-MIN　寺院　　いる

在家信者は説教を聞きながら、寺院で過ごす。

10) *upaasəkə ayə baṇə <u>aha aha</u>　pansəl-ee innəwa.* (Gair & Karunatilaka 1974:76)

在家信者　　説教　聞く.RED　寺院-LOC　いる

在家信者は説教を聞きながら、寺院で過ごす。

　ただ、付帯状況分詞は機能的には確かに動詞重複と同じであるが、形態的

には全く異なることも指摘しなければならない。Geiger (1938: 158) では、この形式を動名詞 (gerund) とし、その成り立ちは動詞名詞形語末の-*ma* が具格の-*min* に変化したものと指摘している。確かに、シンハラ語名詞の具格形は、語末が-*en*/-*in* に変化する。重要なことは、シンハラ語名詞の具格形式が存在動詞とともに用いられると、その名詞が表す状態にいることを表す。従って、付帯状況分詞が存在動詞を補助動詞として取る進行相の表現も、動詞が表す動作・状態の中にいることを表しているのである。

11) a. *saniip-en   inəwa.*   b. *dukak-in   inəwa.*

健康-INST いる   悲しみ-INST いる

12) *kapə-min   inəwa.*

切る-MIN いる

4.3 genə を伴った動詞

genə を伴った動詞が存在動詞を補助動詞としてとり、状態の継続を表す例は 13) のようにシンハラ語教科書 (Perera 2007: 45) にも見られる。また、*genə* を伴った動詞は 14) のように付帯状況を表す場合にも用いられる。

13) *ammaa enə   kam   laməyaa balaa-genə   innəwa.* (Perera 2007: 45)

母親   来る.VA   まで 子ども 待つ-GENA いる

母親が戻ってくるまで、子どもは待っている。

14) *laməya duwə-genə   giya.* (Perera 2007: 42)

子供   走る-GENA 行く.PST

子供が走って行った。

ただ、13) のような例を積極的に進行相形式として認め、記述・分析している先行研究が管見の限り見られない[1]のは、それが結果相 (Resultative

---

[1] Chandralal (2010:149) は *genə* を伴った動詞に *yanəwa*（行く）/ *enəwa*（来る）が補助動詞としてつくアスペクト形式を過程相 (Processive aspect) とし、状態が徐々に変化していく過程を表すと述べている。

aspect) と同形式であるためなのだろうか。*genə* は元々不規則変化動詞 *gennəwa*（取る）の完了分詞であり、*genə* を伴った動詞に存在動詞が補助動詞として付くアスペクト形式は、動詞完了分詞が存在動詞を補助動詞としてとる結果相 (Chandralal 2010: 146) と基本的に同じである。15) と 16) は、いずれも結果相の例で、倒れたり、編んだりした後の結果が状態として残って継続していることを表している。ただ、状態の継続性という意味では 13) は確かに 15) 16) と同じであるが、13) は待った後の結果の状態が残っているのではなく、待つこと自体の状態が継続している。Vendler (1957) の語彙的アスペクトの分類に従えば、「倒れる」と「編む」は、各々到達動詞 (Achievements) と達成動詞 (Accomplishments) に分けられ、意味素性に限界性が含まれている点で共通する。一方、「待つ」は、状態動詞に分類され、15) 16) の動詞とは異なる語彙的アスペクトに分類される。

15) *paarə ain-ee   minih-ek <u>wæti-la   innəwa</u>.* (Chandralal 2010: 146)
　　道　　端-LOC　男-INDF　倒れる-PP　いる
　　道端で男が倒れている。

16) *taatta adə   kuuḍa dek-ak   <u>wiyə-la   tiyenne</u>.* (Chandralal 2010: 146)
　　父　　今日　籠　　2-INDF　編む-PP　ある.FOC
　　父は今日籠を二つ編んでいる。

　　従って、本稿では *genə* を伴った状態動詞については、状態の継続を表す進行相の 1 形式として考えたい。

5　文体レベルでの進行表現の使い分け

　　従来、シンハラ語の進行表現には口語と文語の 2 形式があり、互換性があることも指摘されてきた。ただ、互換性が認められるのは、基本的に動詞が口語と文語の双方で用いられる動詞である。*kataa kərənəwa* は「話す」を表す口語的な動詞であるが、文語でも使用可能である。17) と 18) は口語的な文であるが、口語と文語の進行表現形式が可能である。

17) *minihaa mobəyil ek-en   kaa-ʈə-də   kataa kərə kərə unna.*

男　　携帯電話-INST 誰-DAT-か 話す.RED　　いる.PST

その男性は携帯電話で誰かと話していました。(www.vikalpa.org › article)

18) *mamə mee   pahaḷə niḷədhaarin-ʈə kataa kərə-min innee.*

1.SG この 下級 役人.PL-DAT 話す-MIN　　いる.FOC

私は今この役人たちに話しているのです。(sinhala.adaderana.lk › news)

　一方、文語的な動詞は、動詞重複による進行表現の例を見つけるのが困難である。19) の *pawəsənəwa* は *kataa kərənəwa* と同義語であるが、日本語訳としては「語る、述べる」に近い文語的動詞である。インフォーマントによれば、この動詞重複による進行表現は不適格である。

19) *oolandə   taanaapətiyek tamə   raʈ-ee   torəturu piḷbäⁿdəwə*

オランダ 大使　　　　自分の 国-LOC 情報　　ついて

siyəmə   nam raʈ-ee   (taayilantəy-ee) raju-ʈə   pawəsə-min siʈiyee-ya.

シャム 名 国-LOC タイ-LOC　　王-DAT 語る-MIN いる.PST.FOC-AM

オランダ大使がタイの国王に自国の情報を伝えていた。

(www.jw.org› සිංහල › මුද්‍රිත-සහ-විඩියෝ › ආඩවරයන් を一部修正)

6　アスペクト的意味と進行表現

　本稿ではシンハラ語の進行表現のアスペクト的意味の下位分類として、①動作途中、②継続・持続、③反復を設定する。そして、そのような分類と進行表現の各種形式がどのように関わっているのかをここでは見ていくことにする。これは、文体レベルだけでは説明できないシンハラ語の進行表現の使い分けに関わるものである。

　この目的のために、シンハラ語の進行表現の3形式をとることが可能な動詞をインターネットの検索で調べ、それぞれについて互換性があるのか、交換した場合の意味的な違いが生じるのかを、ネイティブによる適格性の判断テストにより行った。また、進行表現の3形式の中で、いずれかが許容しない動詞があるのかをネイティブの判断に従って区別した。その結果、①3形

式のいずれもアスペクト的意味の違いが見られず、互換が可能な動詞、②3
形式のいずれもアスペクト的意味が異なり、互換が不可能な動詞、③3形式
のうち、アスペクト的意味が2形式の間で同じで、1形式だけが異なる動詞、
④2形式だけを許容する動詞、⑤1形式だけを許容する動詞に分けられた。
以下、その結果を示し、考察を行う。

6.1　進行表現の3形式の意味が同じで、互換性がある動詞

　3形式の意味が同じになる動詞としては、*balənəwa*（見る、待つ）、*iwəsənəwa*
（我慢する）のような例があった。これらの動詞の語彙的アスペクトの分類
は、いずれも状態動詞であり、進行表現の3形式は全て状態継続を表す。

20) a. *ammaa eyaa-gee　parənə preeməwantəyaa enə　　kal maⁿgə balə-balə innəwa.*

　　母　　3.SG-GEN 古い　恋人　　　　　来る.VA 時　待つ.RED　　いる

　　母は彼女の古い恋人を待っている。

　　　　　　　　　　　　　　(www.dinamina.lk › 2021/03/31 › විශේෂාංග › ප)

b. *owun jiiwitə alutin　paṭan gannə kal balə-min　　innəwa.*

　3.PL 生活 新しく　始める.VA 時 待つ-MIN いる

　彼らは新たな生活を始めるときを待っている。

　　　　　　　　　　　(gossipsreader.blogspot.com › 2016/03 › blog-post_21)

c. *oyaa-gee　　eewaa　ṭikat enə　　　kan　mamə magə balaa-gena innəwa.*

　2.SG-GEN それら　も　来る.VA まで 1.SG　待つ-GENA　　いる

　私はあなたの手紙も届くのを待っている。(books.google.co.jp › books)

21) a. *iwəsə iwsəsə　hiṭiyot　　　mærila idi.*

　我慢する.RED いる.COND 死ぬ　だろう

　我慢していたら死ぬだろう。(b-m.facebook.com › sadewlive › photos)

b. *nilədhaariin-gee saṁgəməyə iwəsə-min　　　innəwa.*

　役人.PL-GEN　組合　　　我慢する-MIN いる

　役人の組合は我慢している。(ms-my.facebook.com › gmoasl › videos)

c. *koccərə　　raṇḍu kərə-t iwəsə-gena　　　innəwa.*

　どんなに　喧嘩して-も 我慢する-GENA いる

どんなに 喧嘩しても 我慢している。(https://www.tiktok.com › video)

6.2 進行表現の3形式の意味が異なる動詞

　3形式のアスペクト的意味がいずれも異なり、互換性が認められない動詞としては、*arinəwa*（開ける）を挙げることができる。この動詞では、動詞重複が反復、付帯状況分詞が動作の途中、*genə* を伴った動詞が動作結果の存続を表す。*arinəwa* は、語彙的アスペクトの分類では到達動詞に分類できる。この動詞の意味素性の特徴は、限界性と瞬間性（継続性の短さ）にあると思われる。このような語彙的アスペクトを持つ動詞においては、動詞重複の形式が反復的な事態として捉えられる。付帯状況分詞が用いられる場合は、比較的短い時間に行わる動作の途中の段階を表す。*genə* を伴った動詞が用いられる場合は、その動作が終わった状態が保持されることを表す。

22) a. *maalu nitərəmə uḍə-ṭə　　æwit　　kaṭə ǣrə ǣrə　　　innəwa.* ＜反復＞

　　　魚　　いつも 上-DAT 来る.PP 口 開ける.RED いる

　　　魚はいつも上の方に来て、口をパクパク開けている。

　　b. *magee sæmiyaa mehi dorə ari-min　　　sitiyee-yə.*　＜動作途中＞

　　　1.SG　夫　　ここにドア 開ける-MIN いる.PST.FOC-AM

　　　私の夫がここで（車の）ドアを開けているころだった。

　　　　　　　　　　　　(com4ort.ru › popast-pod-grad-vo-sne-k-chemu-snitsya)

　　c. *daruwəku bat kawənə　　　kam kaṭə ǣrə-genə　　innəwa.* ＜結果存続＞

　　　子供　　飯 食べさす.VA まで 口 開ける-GENA いる

　　　子供はご飯を食べさせてもらうまで口を開けたままにしている。

　但し、*akulənəwa*（畳む）のような動詞は、動詞重複が反復の意味に限定されるのに対し、付帯状況分詞の場合は、反復と動作途中の二つのアスペクト的意味の解釈が可能になる。23 b) は目的語の *pæduru*（ござ、マット）が複数形なので反復の意味（複数のマットを次から次へ畳んでいく）になるが、仮に単数形の *pædurə* に換えれば、インフォーマントによると、1 枚のマットを畳んでいる途中の意味になるようである。*genə* を伴った動詞が用いられる

場合は、その動作が終わった状態が保持されることに変わりはない。従って、この動詞は、次節の2形式の意味が同じ動詞としても分類が可能である。

23) a. *mamə kuḍə akulə akulə innəwa.* ＜反復＞
　　1.SG 傘.PL 畳む.RED いる
　　私は傘を畳んでいる。

　b. *mamə midulə-ṭə yanə　koṭa-t wiməlaa pæduru akulə-min hiṭiyee.* ＜反復＞
　　1.SG 庭-DAT 行く.VA 時-もウィマラ ござ.PL 畳む-MIN いる.PST.FOC
　　私が庭に行くと、ウィマラはマットを畳んでいました。

(https://hi-in.facebook.com › photos)

　c. *mamə kuḍəyə akulə-genə　innəwa.* ＜結果の存続＞
　　1.SG 傘　　畳む-GENA いる
　　私は傘をすでに畳んでいる。

6.3　進行表現の2形式の意味が同じである動詞

　2形式の意味が同じ場合は、多くが *genə* を伴った動詞のみが異なるアスペクト的意味を持つ。このような動詞としては、*æⁿdinəwa*（着る）のような例を挙げることができる。この動詞は語彙的アスペクトでは継続性と限界性が認められる点で達成動詞に分類できる。継続性を持つ動作動詞は、24 a, b) のように動詞重複でも付帯状況分詞でも継続中の動作を表すことができ、これらは結果として文体の違いとも言うことができる。一方、24 c) のように *genə* を伴った動詞のみが結果の存続を表すことについては、限界性の意味素性を持つことが関係していると思われる。この点では、到達動詞と同じである。

24) a. *aapəhu kaamər-en eliyə-ṭə　giyee　　kella æⁿdum æⁿda æⁿda hiṭəpu nisayi.*
　　となり 部屋-ABL 外-DAT 行く.FOC 女子 服　　着る.RED いた ためだ
　　となりの部屋から出てきたのは、女の子が服を着ていたからだ。

(https://thelankamirror.com › archives)

　b. *silwaa　unnæhee　raajəkaariyə-ṭə yaaməṭə　æⁿdi-min　siṭi　bæwin*
　　シルバ 3.SG.GEN 仕事-DAT　　行くため 着る-MIN いる ので、

142

ee iwərə wuu wahaamə eliyə-ṭə awut,

それ 終わる すぐに 外-DAT 来る.PST

シルバが仕事に行くために服を着ているので、彼はそれが終わるとすぐ

に出てきて、 (https://si.wikibooks.org › wiki › පෙ)

c. *mamə æⁿdum æⁿdə-genə innəwa.*

1.SG 服 着る-GENA いる

私は服を着ている。(https://si.eferrit.com › පර්◌ ◌◌ද්ද්)

　なお例外的であるが、付帯状況分詞が用いられる場合にのみ意味が異なる動詞もある。ただ、これは動詞の多義性によるものである。*mærenəwa* は「死ぬ」を表す動詞であるが、「生活・仕事などの上で辛苦（辛酸）を嘗める」という意味も持つ (野口 2015: 526)。そして、25a, d) のように動詞重複と *genə* を伴った動詞の進行表現形式をとる場合は後者の意味で、状態継続を表す。一方、付帯状況分詞が用いられる場合は前者の意味で、進行表現の解釈は二通りある。25b) は単数主語で、動作・状態の途中にあること、25c) は複数主語で、異なる主体の反復的事態を表している。

25) a. *hæmədəmat mæri mæri innəwa mamə ee oyaa nisaa mahattəyo.* ＜継続＞

いつも 死ぬ.RED いる 1.SG その 2.SG ため 殿方.VOC

ねえ、あなた。あなたのために私はいつも苦労しているのよ。

(https://kzlife.info › first › obata-adara)

b. *æyə mære-min innee. æyə-ṭə oksijan næhæ.* ＜途中＞

彼女 死ぬ-MIN いる.FOC 彼女-DAT 酸素 ない

彼女は死にかけている。彼女には酸素がない。

(https://hi-in.facebook.com › photos)

c. *maasə 8-ka iⁿdan minissu 600-ṭə waḍaa mære-min innəwa.* ＜反復＞

月 8-NDF.LOC 以来 人々 600-DAT 以上 死ぬ-MIN いる

8か月間で600人以上が亡くなっている。

(https://elakiri.com › ... › ElaKiri Talk!)

d. *kellek   ee   kollaa wenuwenmə <u>mæri-genə innə</u>   oonii nœ.*＜継続＞

少女.INDF その 少年 ために   死ぬ-GENA いる.INF 必要 ない

少女はその少年のために苦労し続けるべきではない。

(https://kzsection.info › green › sama-)

6.4　2形式の進行表現のみが可能な動詞

　3形式の進行表現の中で、2形式のみが可能で、1形式を許容しないものもある。*duwənəwa*（走る）は、動詞重複と付帯状況分詞を用いた進行表現のみを許容し、*nidənəwa*（寝る）は付帯状況分詞と *genə* を用いた進行表現のみを許容する。*duwənəwa* については、既に 14)で見たとおり、*duwəgenə yanəwa*（走って行く）」は適格であるのに、インフォーマントによれば存在動詞を用いた進行表現は不適格である。なぜ不適格なのかは、今のところデータ収集が不十分なため分からない。一方、*nidənəwa* が動詞重複の進行表現が用いられないのは、語義が関係しているのではないだろうか。つまり、寝るという行為を反復的に行うことへの不自然さである。

26) a. *ḷaməyaa <u>duwə duwa innəwa</u>.*

　　子供　　走る.RED いる

　　子供が走っている。(https://wwwsinhalenjapan.blogspot.com ›)

　b. *ḷaməyaa <u>duwə-min   innəwa</u>.*

　　子供　　走る-MIN いる

　　子供が走っている。(https://wwwsinhalenjapan.blogspot.com ›)

27) a. *dawəsak mamə magee   biridə asələ <u>nidə-min   sitiya</u>.*

　　ある日 1.SG 1.SG.GEN 妻　　隣　寝る-MIN いる.PST

　　ある日、私は妻の隣で寝ていた。(https://ne-np.facebook.com › permali.)

　b. *api 20-dene-k   ekəmə kaamərəy-ee <u>nidaa-genə hiṭiya</u>.*

　　1.PL 20-CLF.ANM-INDF 一つの 部屋-LOC　寝る-GENA いる.PST

　　私達 20 人は一つの部屋で寝ていた。(http://myright.se › oaza-ar-min-familj)

6.5 付帯状況分詞を用いた進行表現のみが可能な動詞

　最後に、*enəwa*（来る）と *yanəwa*（行く）と *gannəwa*（取る）のような、従来から動詞重複の形式が取れないとされてきた動詞の進行表現について検討する。これらの動詞は、いずれも付帯状況分詞を用いた形式のみで現在進行中の動作や状態を表す。

28) *jeesus　wahansee saha śraawəkəyoo jerusəlamə-ṭa　　yanə　　maargəy-ehi*

　　イエス 様　　　と　　弟子.PL　エルサレム-DAT 行く VA 道-LOC

　　ya-min　　sitiyaha.

　　行く-MIN　いる.PST

　　イエス様と弟子たちはエルサレムに向かう道を行く途中でした。

(https://www.bible.com › NRSV)

29) *bas-ekə　　　nagəre-ṭa e-min　　　tiyenəwa.*

　　バス-DFNT 町-DAT　来る-MIN　ある

　　バスが町に向かっている。

30) *roohal-ee　pratikaare ga-min　　sitinə　　bawə*

　　病院-LOC 治療　　　取る-MIN いる VA こと

　　病院で治療を受けていること (https://srilanka.factcrescendo.com)

　これらの動詞の語彙的アスペクト的意味としては、*enəwa* と　*yanəwa* が達成動詞で、*gannəwa* を到達動詞であるが、同じく達成動詞である *kiyəwənəwa*（読む）が動詞重複で進行表現を表せるのに、*enəwa* と　*yanəwa* が動詞重複で進行表現を表せないのはなぜなのか。習慣的にそうなっているとしか言えないのだろうか。まだ、不明な点も多く、あくまで仮説の域を超えるものではないが、これらの動詞と *kiyəwənəwa* の違いは、語の意味の抽象度の違いが関係するのではないだろうか。*kiyəwənəwa* には「読む」という具体的な動作・行為が語義に含まれているが、「行く」「来る」は具体的な動作ではなく、話し手を中心にした移動の遠心性と求心性を表しているだけである。これらの動詞がそれ自体で他の要素と結びついて複合動詞を構成したり、過程のアスペクトを表したりすること等とも無縁ではないだろう。*gannəwa* についても、

具体的に手で取るという動作ばかりでなく、抽象的な取得も表すことができ、複合動詞を構成し、再帰的表現を生産的に作ることができるなど、文法化が発達した動詞である。動詞重複には、目に見えて動作が反復的に行われることが必要なのではないだろうか。今後データを多く集めて分析する必要があるだろう。

7　まとめ

　ここまで、シンハラ語の有標の進行表現を2形式から3形式にすべきこと、進行表現形式が口語と文語の文体の区別をしているだけでなく、語彙的アスペクトの違いが関係し、異なるタイプのアスペクトを表している場合があることを述べてきた。まとめると表2になる。今回の調査では付帯状況分詞を用いる場合は、どのような動詞でも進行表現を作ることが確認できた。この形式は存在動詞だけでなく動詞全般と結びつき、付帯状況の副詞節を広範に作ることができる。動詞重複も付帯状況分詞と同様の機能を持ち、存在動詞との結びつきで進行表現を作れるが、その具体的反復性の意味に引きずられ、許容する動詞が狭められている。また、*genə* を伴った動詞の進行表現は、状態動詞のみで可能である。この形式は成り立ちから見れば、結果相形式と同じであるため、状態動詞以外では、結果の存続と言う異なるアスペクト的意味を表すことになる。なお、*genə* は元々 *gannəwa*（取る）の完了分詞形であるが、この *gannəwa* は本動詞としての用法以外に、再帰動詞を生産的に作る補助動詞としての用法もあり、このことも *genə* の進行表現としての使用制限が強いことと関係があるかもしれない。

表現形式	文体	語彙的アスペクト	進行表現の意味
動詞重複＋ 存在動詞	口語的	動作	継続的
		達成	継続的
		到達	反復的
		状態	継続的
min（付帯状 況分詞）＋ 存在動詞	文語的	動作	継続的
		達成	継続的
		到達	動作の途中、反復（複数）
		状態	継続的
genə＋ 存在動詞	双方	到達	結果の存続（≠進行）
		状態	継続的

表2　シンハラ語の進行表現の使い分け

8　おわりに

　今回、シンハラ語の有標の進行表現について詳細に検討し、従来のシンハラ語における進行表現の枠に入らなかった形式を条件付きで加えた。その結果、シンハラ語の進行表現体系を今までより広げることができた。また、文体論だけでは説明できない部分を、語彙的アスペクトを検討することで、3つのシンハラ語進行表現形式のアスペクト的意味の異同のメカニズムや、個々の動詞の進行表現の選択規則もある程度示すことができた。

　今後は、使用制限のある進行表現について、より多くのデータを集め、その条件を詳細に調べたい。更には、現在のシンハラ語進行表現体系に至った経緯についても考えてみたい。特に、南アジアに共通する言語的特徴とは異なる［動詞重複＋存在動詞］の形式が進行表現になった経緯が、言語接触のような外的要因によるものなのか、それとも言語内の独自の進化によるものなのかを明らかにする必要がある。スリランカは狭い島国でありながら、歴史的には様々な異なる言語を持った民族が流入し、現在でもその子孫たちがこの国の多言語的状況を作り上げている。それらの言語の進行表現と比較し

ながら、シンハラ語の進行表現を分析することが、今後の課題として挙げる
ことができる。

略語

1: 1 人称　2: 2 人称　3: 3 人称　ABL: 奪格　AM: 断定標識　ANM: 有生
CLF: 類別詞　COND: 条件形　DAT: 与格　DFNT: 特定　FOC: 焦点形
GEN: 属格　GENA: *gannəwa* の完了分詞形　INDF: 不特定　INST: 具格
INF: 不定詞　LOC: 位格　MIN: 付帯状況分詞　NPST: 非過去　PL: 複数
PP: 完了分詞　PST: 過去　RED: 完了分詞の重複形　SG: 単数　VA: 動詞
の名詞修飾形　VOC: 呼格

謝辞

　本研究では安田女子大学大学院博士後期課程3年生のガヤトゥリ・デシル
バさんに、インフォーマントとしてシンハラ語例文の適格性判断や作例にご
協力いただいた。本稿におけるシンハラ語例文提示に問題や不備があれば、
それらは全て筆者の責任である。なお、本稿は、科研費研究若手研究（課題
番号 20K13095）「効率的学習と相互文化理解を目指すシンハラ語母語話者対
象の日本語教育文法書の開発」（研究代表者：宮岸哲也）による研究成果の一
部を纏めたものである。

参考文献

野口忠司 (2015)『シンハラ語・日本語辞典』三省堂

Abbi, Anvita (1991) *Reduplication in South Asian Languages: an Areal, Typological
　and Historical Study*. New Delhi: Allied Publishers Limited.

Ananda, M.G. Lalith (2018) Reduplication in Sinhala. *Proceedings of 14th
　International Conference on Humanities and Social Sciences 2018* (IC-HUSO
　2018) 22nd-23rd November 2018, Faculty of Humanities and Social Sciences, Khon
　Kaen University, Thailand.

Chandralal, Dileep (2010) *Sinhala*. Amsterdam: John Benjamins Publishing Company.

Comrie, Bernard (1976) *Aspect: An Introduction to the Study of Verbal Aspect and*

Related Problems. Cambridge University Press.

Fairbanks, G.H., Gair, James W. & De Silva, M.W.S. (1968) *Colloquial Sinhalese Part 2*. South Asia Program, Cornell University.

Gair, James W. and Karunatilaka, W. S. (1974) *Literary Sinhala.* South Asia Program and Department of Modern Languages and Linguistics. Cornell University. Ithaca, New York.

Geiger, Wilhelm (1938) *A Grammar of the Sinhalese Language.* Colombo: The Royal Asiatic Society Ceylon Branch.

Karuntatillake, W.S. (1992) *An Introduction to Spoken Sinhala.* Colombo: Gunasena.

Perera, Shirley (2007) *Let Us Speak Sinhala Vol.02*. Pannipitiya: A Stamford Lake Publication.

Piyadigama, T.M. (2019) Grammatical Aspects in Tenseless Theory of Sinhala Language. *Research Gate*. https://doi.org/10.31235/osf.io/txqac

Piyadigama, T.M. (2022*) sinhalə bhaaṣaawee wyakərəṇaatməkə aaləweedəyak nǣtə* https://www.researchgate.net/publication/358228995

Vendler, Zeno (1957) Verbs and times. *The Philosophical Review* 66. 143-160.

サハ語・トゥバ語・キルギス語の非過去時制と進行表現 *
Non-past tense and progressive expression
in Sakha, Tyvan, and Kyrgyz

江畑　冬生（新潟大学）

Fuyuki EBATA (Niigata University)

要　旨

　チュルク語族の3つの言語（サハ語・トゥバ語・キルギス語）の非過去は，現在時制・未来時制・補助動詞構文のいずれかで表される．その中で特に進行表現に着目すると，動詞の意味によっても用いる構文が異なることが分かる．サハ語では主として現在時制が用いられるが，動作動詞には補助動詞構文も現れる．トゥバ語では，主として接語=tur を含む構文が用いられる．感情動詞と思考動詞では接辞-dir を含む間接証拠性形式も現れる．キルギス語では，主として補助動詞構文が用いられる．状態動詞では，現在時制も現れる．3つの言語に共通して，移動動詞の場合にはデフォルトの構文とは異なる表現形式により現在移動中であることを表す．

キーワード: チュルク語族，非過去時制，進行アスペクト，補助動詞構文，移動動詞

* 本研究は，科研費（課題番号 20H01258, 21H04346, 22H00657）および東京外国語大学アジア・アフリカ言語文化研究所の共同利用・共同研究課題「チュルク諸語における情報構造と知識管理 —音韻・形態統語・意味のインターフェイス—」の支援を受けたものである．本論文の内容は「言語の類型的特徴をとらえる対照研究会第19回公開発表会」（2022年8月20日オンライン）における発表内容に加筆修正を行ったものであり，アクマタリエワ・ジャクシルク氏（日本学術振興会特別研究員）との共同研究に多くを負っている．出典が明記されていないサハ語・トゥバ語の例文は，筆者によるフィールドワークまたは筆者の作成したコーパス資料からの例である．キルギス語の例文は，アクマタリエワ氏からのご教示によるものである．

1 はじめに

　本論文ではまず，チュルク語族に属する3つの言語（サハ語・トゥバ語・キルギス語）の非過去時制がどのような表現形式で表されうるのかを概観する．次に，動詞の意味による進行表現の違いに着目しながら3つの言語を対照する．第2節では，非過去時制の表現形式の概観を行う．第3節では，動詞の意味的分類を行った上で進行・継続の表現形式を対照する．第4節では結論をまとめる．

2 非過去時制の表現形式の概観

　江畑・Akmatalieva (2022) では，サハ語・トゥバ語・キルギス語の非過去時制を対照するために次のような意味的分類を行った．この分類を，典型的な日本語例文と共に示すと次のようである（ただし実際には，明確な線引きが難しいケースもある．例えば「大学で学んでいる」は「(A)勉強中だ」にも「(B)大学生だ」にも解釈可能である）．3言語では，これらの意味は表1に示すような形式で表される．

(A) 進行・継続　　「私は本を読んでいる」
(B) 習慣・反復　　「私は毎日学校に行く」
(C) 一般事実　　　「冬には雪が降る」
(D) 未来予定　　　「私は明日病院に行く」

［表1］　非過去時制の意味的分類

	サハ語	トゥバ語	キルギス語
(A) 進行・継続	現在 / AUX 構文	副動詞＋接語=*tur*	AUX 構文
(B) 習慣・反復	現在	AUX 構文	現在
(C) 一般事実	現在	アオリスト	現在
(D) 未来予定	現在 / 未来	アオリスト	現在 / 未来

　サハ語では，これら4つすべての場合に現在時制形式を用いることが可能

である．ただし進行・継続では補助動詞構文も用いられ，未来予定を表すには未来時制の形式もある.

(1) *kini*　　*avtobuh-u*　　{ *keteh-er*　　/　　*keteh-e tur-ar* }
　　3SG　　バス-ACC　　{ 待つ-PRS:3SG　/　待つ-SML 立つ-PRS:3SG}
　　「彼(女)はバスを待っている」

(2) *kün*　　*aayï*　　*üören-e-bin*
　　日　　　毎　　　学ぶ-PRS-1SG
　　「私は毎日勉強します」

(3) *kanada-ʁa*　　*francus*　　*tïl-ïnan*　　*saŋar-al-lar*
　　カナダ-DAT　　フランス　　語-INST　　話す-PRS-3PL
　　「カナダではフランス語が話されている」

(4) *doydu-bar*　　　*sarsïn*　　{ *bar-a-bïn*　　/　　*bar-ïa-m* }
　　国-POSS.1SG:DAT　明日　　行く-PRS-1SG　/　行く-FUT-1SG
　　「私は明日故郷に行きます」

トゥバ語では，進行・継続には接語=*tur*（動詞 *tur-*「立つ」に由来）が用いられ，習慣・反復には補助動詞構文が用いられる．一般事実と未来予定はいわゆるアオリスト（不定時制形式）で表される[1].

(5) *ažïlda-p =tur =men*
　　働く-CVB =AUX =1SG
　　「私は働いています」

---

[1] 「アオリスト」はチュルク語研究で用いられている術語で，主節または連体節において現在や未来を表す動詞語尾形式を指す（印欧語族の不定過去を指す用語に由来する）．主節におけるアオリスト形式は，サハ語では現在時制の形式に，トゥバ語とキルギス語では未来時制の形式に対応する.

(6) *xün-nüŋ =ne   erten   kežee   kïlašta-p   tur-ar*
日-GEN=CLT   朝   晩   歩く-CVB   立つ-AOR
「彼(女)は毎日朝と晩に歩いている」

(7) *kïžïn   xar   ča-ar*
冬に   雪   降る-AOR
「冬には雪が降る」

(8) *tundra-že   ba-ar =men*
ツンドラ-ALL   行く-AOR=1SG
「私はツンドラに行きます」

　キルギス語では，進行・継続には補助動詞構文を用いる．現在時制の形式は，それ以外の用法をカバーしうる（ただし別に推測未来と意志未来の形式も存在する）．

(9) *men   ište-p   žat-a-m*
1SG   仕事する-SEQ   横になる-PRS-1SG
「私は仕事をしています」

(10) *men   universitet-te   oku-y-m*
1SG   大学-LOC   学ぶ-PRS-1SG
「私は大学で勉強しています（大学生です）」

(11) *kiš-ï-nda   kar   žaa-y-t*
冬-POSS.3-LOC   雪   降る-PRS-3
「冬には雪が降る」

154

(12)　　*erteŋ*　　*kočkor-go*　　*bar-a-m*
　　　　明日　　PLN-DAT　　行く-PRS-1SG
　　「私は明日コチコルに行きます」

3　進行表現の対照

　本節では，3言語の進行・継続を表す表現形式（以下単に「進行表現」）を本動詞の意味的分類ごとに対照する．特に，進行表現で補助動詞構文が用いられるか否かに着目する．

　3言語の進行表現には，「本動詞（副動詞形）＋補助動詞（定形）」が良く現れる．この時に補助動詞として用いられるのは，表2に示す4つの姿勢動詞である．ただし言語ごとに，頻出する姿勢動詞（太字で示す）が異なる．

［表2］　補助動詞構文に用いられる姿勢動詞

	サハ語	トゥバ語	キルギス語
「立つ」	tur	**tur**　（接語含む）	tur
「座る」	olor	olur	otur
「横になる」	sït	čït	**žat**
「行く」	**sïrït** (sïlz-)	čoru (čor-)	žür

サハ語 *sïrït* は「（滞在・活動して）いる」を，キルギス語 *žür* は「走る，行く」を表す

［表3］　動詞の意味的分類

動作動詞	読む，書く，学ぶ，働く，遊ぶ，探す，叩く，待つ
状態動詞	知っている，住む，見える，聞こえる，（体が）痛む，空腹だ
感情動詞	喜ぶ，悲しむ，怖がる，興味がある，〜したい（無意志的）
思考動詞	考える，思う，望む，願う，賛成する（意志的）
発言動詞	言う，叫ぶ，呼びかける，誘う
移動動詞	行く，来る，走る，帰る，出る，出発する

　進行表現において補助動詞構文を使用するか否かは，動詞の意味によって

異なっている．表3には，本論文で用いる動詞の意味的分類を示す．以下ではなるべく有生物主語を持つ単文の場合に限定してデータを提示しながら，3つの言語における進行表現の対照を行う．

3.1 動作動詞の進行表現

サハ語では，現在時制と補助動詞構文の両方が用いられる．先の例文(1)のように，2つの表現形式の意味の違いが分かりにくい場合もある．一方で(13)の「学ぶ」は補助動詞構文で進行を表すが，現在時制では習慣・反復の意味にしかならない．

(13) *tuyaara*   *oskuola-ʁa*   *üören-e*   *silž-ar*
      (人名)   学校-DAT   学ぶ-SML   いる-PRS:3SG
      「トゥヤーラは学校で勉強している」

(14) *xayïï-gïn-ïy*
      何する:PRS-2SG-WHQ
      「君は何をしている？」

トゥバ語では，もっぱら接語=tur を含む構文が現れる．

(15) *ol*   *kiži*   *košeljok*   *dile-p* =*tur*
      あの   人   財布   探す-CVB =AUX
      「あの人は財布を探している」

(16) *bir*   *kiži*   *ežik*   *sokta-p* =*tur*
      1   人   ドア   叩く-CVB =AUX
      「誰かがドアを叩いている」

(17)　*čü-nü*　　　*kanča-p* =*tur* =*sen*
　　何-ACC　　　どうする-CVB =AUX =2SG
　　「君は何をしている？」

　キルギス語では，もっぱら補助動詞構文が用いられる．

(18)　*siz*　　　　*emne*　　　*kïl-ïp*　　　*žat-a-sïz*
　　2SG(HON)　　何　　　する-SEQ　　　横になる-PRS-2SG(HON)
　　「あなたは何をしていますか？」

(19)　*internet*　　　　*arkïluu*　　*žumuš*　　*izde-p*　　　*žat-a-m*
　　インターネット　通じて　　仕事　　探す-SEQ　　横になる-PRS-1SG
　　「私はインターネットで仕事を探しています」

3.2 状態動詞の進行表現

　サハ語では，現在時制のみが用いられる．補助動詞構文を用いることはない．

(20)　*min*　　　*žokuuskay-ga*　　*olor-o-bun*
　　1SG　　PLN-DAT　　　　住む-PRS-1SG
　　「私はヤクーツクに住んでいる」

(21)　*buukuba-nï*　　*baʁas*　　*bil-e-bin*
　　文字-ACC　　　くらい　　知る-PRS-1SG
　　「私は文字くらいは知っています」

(22)　*kim-ij*　　*maks*　　*kürgüydüü-r*　　*saŋa-ta*　　*ihill-er*
　　誰-WHQ　（犬名）　威嚇する-PRS　　声-3SG　　聞こえる-PRS:3SG
　　「誰だ？ マクスが威嚇する吠え声が聞こえる」

トゥバ語では，もっぱら接語=tur を含む構文が現れる.

(23) *men kïzïl-da čurtta-p =tur =men*
　　　 1SG PLN-LOC 住む-CVB=AUX=1SG
　　「私はクズルに住んでいます」 [Isxakov and Pal'mbax (1961: 128)]

(24) *ït eer-er-i dïŋnal-ïp =tur*
　　　 犬 吠える-AOR-3 聞こえる-CVB=AUX
　　「犬が吠えるのが聞こえる」

(25) *baž-ïm aarï-p =tur*
　　　 頭-POSS.3SG 痛む-CVB=AUX
　　「私の頭が痛い」

キルギス語では，現在時制または補助動詞構文が用いられる[2].

(26) *biz kočkor-do žaša-y-bïz*
　　　 1PL PLN-LOC 住む-PRS-1PL
　　「私たちはコチコルに住んでいます」

(27) *baš-ïm ooru-p žat-a-t*
　　　 頭-POSS.1SG 痛む-SEQ 横になる-PRS-3
　　「私の頭が痛い」 ［風間・アクマタリエワ (2021: 671)］

3.3 感情動詞の進行表現

サハ語では，現在時制が用いられる（コーパスでは補助動詞構文も少数な
がら見つかるが習慣・反復の表現や以前からの継続を表すものに限られるよ

---

2 アクマタリエワ氏のご教示によれば，文脈によっては(26)の代わりに補助動詞構文
を用いることもあるという.

うである).

(28) *xarčï-bït*   *tönnü-beteʁ-e*   *onton*   *nahaa*   *xomoy-o-bun*
    金-POSS.1PL   戻る-NEG:PST-3SG そこから   とても   悲しむ-PRS-1SG
    「私たちのお金は戻ってこなかった. そのため私はとても悲しい」

(29) *soruk-pu-n*   *sitis-pip-pi-tten*   *üör-e-bin*
    目的-POSS.1SG-ACC 達する-PST-1SG-ABL   喜ぶ-PRS-1SG
    「私は目的を達成できて嬉しいです」

トゥバ語では，もっぱら接語=tur を含む構文が現れる.

(30) *maŋaa*   *kel-gen-im-ge*   *öörü-p* =tur =men
    ここに   来る-PST-1SG-DAT   喜ぶ-CVB=AUX=1SG
    「私はここに来られて嬉しいです」

(31) *ol*   *aytïrïg-nïŋ*   *xarïï-zï-n*   *sonuurga-p* =tur =men
    あの   質問-GEN   答え-POSS.3-ACC   興味を持つ-CVB=AUX＝1SG
    「私はその質問の答えに興味があります」

(32) *kandig*   *nom*   *al-ïksa-y-dïr* =siler
    どんな   本   取る-VOL-SML-EVID=2PL
    「あなたはどんな本を買いたいですか？」   ［中嶋 (2008: 79)］

キルギス語では，補助動詞構文が用いられる.

(33) *aydooču-lar*   *kižin-ip*   *žat-tï*
    運転手-PL   怒る-SEQ 横になる-N.PST
    「運転手たちは怒っていた」   ［アクマタリエワ (2014: 99)］

感情動詞に関連して3言語の願望表現を対照すると，サハ語では現在時制，トゥバ語では接語=tur を含む構文，キルギス語では補助動詞構文（ただし主語は「私」ではなく「飲みたさ」）が現れる結果となる．

(34) *itii* *čey* *ih-iex-pi-n* *baʁar-a-bïn*
あつい 茶 飲む-FUT-1SG-ACC 望む-PRS-1SG
「私は温かいお茶が飲みたい」

(35) *izig* *šay* *iž-ikse-p* =*tur* =*men*
あつい 茶 飲む-VOL-CVB =AUX =1SG
「私は温かいお茶が飲みたい」

(36) *suusa-dï-m* *suusunduk* *ič-ki-m* *kel-ip*
乾く-N.PST-1SG 飲み物 飲む-VOL-POSS.1SG 来る-SEQ
žat-a-t
横になる-PRS-3
「私は喉が渇いた．飲み物を飲みたい気持ちが来ている」

3.4 思考動詞の進行表現

サハ語では，現在時制が用いられる．ただし *sanaa*「思う」は，(39)のように補助動詞構文が用いられる例も見つかった（なお … *dii sanïïbïn*「私は〜だと思います」では現在時制のみが現れることも分かった）．

(37) *kim* =*eme* *kömölöh-üö* *dien* *eren-e-bin*
誰 =CLT 助ける-FUT:3SG QUOT 願う-PRS-1SG
「誰かが助けてくれるだろうと私は願っている」

(38) *beye-ŋ* *saastïï-laax-tar-gï-n* *xaydax* *sanïï-ʁïn*
自分-POSS.2SG 同い年-PROP-PL-POSS.2SG-ACC どのよう 思う:PRS-2SG
「君は自分と同い年の人たちのことをどのように考えている？」

(39) ïstaarïha   tugu   sanïï   silž-a-ʁïn
    リーダー   何:ACC   思う:SML   いる-PRS-2SG
    「リーダー，あなたは何を考えている？」

  トゥバ語では，アオリストまたは接語=tur を含む構文が用いられる．ただし(42)のように間接証拠性形式が用いられる場合もある．

(40) onu   dïka   eki   egeleeškin   dep   sana-ar =men
    それ:ACC   とても   良い   開始   QUOT   思う-AOR=1SG
    「私はそれはとても良いスタートだと思っています」

(41) men   ažïl-dï   xuusaa-zï-nda   dooz-ar   dep
    1SG   仕事-ACC   期間-POSS.3-LOC   終える-AOR   QUOT
    korda-p =tur =men
    願う-CVB=AUX=1SG
    「私は仕事を期間内に終えられると願っています」   ［中嶋 2008: 69］

(42) ažïl-dï   daarta   doozar   dep   boda-y-dïr =men
    仕事-ACC   明日   終える   QUOT   考える-SML-EVID=1SG
    「私は仕事を明日終えようと考えています」

  キルギス語では，補助動詞構文が用いられる．

(43) tüšün-üp   žat-a-m   men   anï
    分かる-SEQ   横になる-PRS-1SG   1SG   3SG:ACC
    「分かっているよ．私は彼を」   ［アクマタリエワ (2014: 98)］

3.5 発言動詞の進行表現
  サハ語では，現在時制で「現時点で発言内容が有効である」ことを表せる

（*kepset*「会話する」などの動詞は補助動詞構文でも現れるが，これは動作動詞として行為の継続を表すものであると解釈する）．

(44)　*kïržig-ï*　　*et-e-bin*
　　　本当-ACC　　　言う-PRS-1SG
　　「私は本当のことを言っています／私はこれから真実を言います」

(45)　*össö*　*daʁanï*　*bies uon*　*sïl*　*olor-uo-m*　　*dii-bin*
　　　まだ　も　　50　　　年　生きる-FUT-1SG　言う:PRS-1SG
　　「［インタビューの中で］私はあと50年生きると言っています」

(46)　*moʁotoy-u*　　　*tut-tu-m*　　　*tut-tu-m*　　　*dien*　*xahïïtïï-r*
　　　シマリス-ACC　　掴む-N.PST-1SG　掴む-N.PST-1SG　QUOT　叫ぶ:PRS-3SG
　　「彼はシマリスを『捕まえた，捕まえた』と叫んでいる」

　トゥバ語では，もっぱら接語=*tur*を含む構文が現れる．ただし多くの例文を見つけられているわけではないので，さらに検討が必要である．

(47)　*ugba-m*　　　*bis-ti*　　　*kïy*　　*de-p =tur*
　　　姉-POSS.1SG　　1PL-ACC　　ONOM　言う =AUX
　　「姉が私たちに呼びかけている」

(48)　*šay-dan*　*iž-er-i-nže*　　　*čala-p =tur =men*
　　　茶-ABL　　飲む-AOR-3-ALL　招く-CVB =AUX =1SG
　　「私はお茶でも飲むことに招いています（お茶でも飲みませんか？）」

　キルギス語では，補助動詞構文が用いられる．ただしユーラシアセンター(2001:97)では，「彼は何を言ってますか」の*de*「言う」が現在時制で現れている例も存在する（アクマタリエワ氏からも現在時制と補助動詞構文の両方が用いられるというご指摘を頂いた）．

(49) *urkuya* *čïn* *ayt-ïp* *žat-a-t*
   PSN 正直 言う-SEQ 横になる-PRS-3
  「ウルクヤは正直に言っている」   [アクマタリエワ (2014: 69)]

 発言動詞に関連して「聞く」の場合を対照すると，サハ語では現在時制，トゥバ語では接語=*tur* を含む構文，キルギス語では補助動詞構文が現れる結果となる．

(50) *ist-e-bin*
   聞く-PRS-1SG
  「［電話で］私は聞いています」（日本語の「もしもし」に相当）

(51) *siler-ni* *dïŋna-p =tur =men*
   2PL-ACC 聞く-CVB =AUX =1SG
  「［電話で］私はあなたを聞いています」

(52) *men* *ug-up* *žat-a-m*
   1SG 聞く-SEQ 横になる-PRS-3
  「［電話で］私は聞いています」

3.6 移動動詞の進行表現

 サハ語では，(50)のようにデフォルトの補助動詞構文を用いると結果状態の意味になる．「移動中」を表すには，別の補助動詞構文が現れる．

(53) *biligin* *komandirovka-ʁa* *kel-e* *silž-a-bïn*
   今 出張-DAT   来る-SML いる-PRS-1SG
  「私は今出張で来ています」

(54) *tabaarïs-tar-ïm*   *ïŋïr-dï-lar*   *onno*   *bar-an*   *ih-e-bin*

友人-PL-POSS.1SG   招く-N.PST-3PL   そこに   行く-SEQ   向かう-PRS-1SG

「私の友人たちが［家に］招待している．私はそこに行くところだ」

(55) *žokuuskay-ga*   *tönn-ön*   *ih-e-bin*

PLN-DAT   戻る-SEQ   向かう-PRS-1SG

「私はヤクーツクに戻るところだ」

　トゥバ語でも，接語=*tur* を含む構文を用いると結果状態の意味になる．「移動中」には，特殊な補助動詞構文を用いる必要がある．(56)や(57)は，本動詞が副動詞形ではなく語幹そのままの形式で現れている点が特異である．

(56) *tïva-da*   *beš*   *dugaar*   *ke-ep* =*tur* =*men*

トゥバ-LOC   5   回   来る-CVB =AUX =1SG

「私がトゥバに来たのは5回目です」

(57) *ol*   *kiži*   *duu*   *kel*   *čor*

あの   人   向こう   来る   行く

「あの人は向こうで来ている（のが見える）」

　キルギス語でも，デフォルトの補助動詞構文は移動準備動作や反復動作を表す．移動中を表すには別の補助動詞構文が用いられる．

(58) *men*   *ček ara-nï*   *korg-oo-go*   *žönö-p*   *žat-a-m*

1SG   国境-ACC   守る-VN-DAT   出発する-SEQ   横になる-PRS-1SG

「私は国境を守りに出発するところだ」

(59) *žumalï*   *kel-ip*   *ket-ip*   *žat-a-t*

PSN   来る-SEQ   行く-SEQ   横になる-PRS-1SG

「ジュマルは行ったり来たりしていた」   ［アクマタリエワ (2014: 83)］

(57)　*kayïn-dar-ïm-a*　　　　*bar-a*　　　　*žat-a-m*
　　　姻族-PL-POSS.1SG-DAT　　行く-SML　　横になる-PRS-1SG
　　　「私は義理の親戚の所に行く途中です」　　　［アクマタリエワ (2014: 102)］

4　まとめと課題

　本論文では，サハ語・トゥバ語・キルギス語の非過去時制の対照を行った．
特に進行表現を取り上げ，動詞の意味的分類から見てどのような形式によっ
て表されるのかに着目した．結果として次のことが分かった．サハ語の進行
表現では，動詞の意味に関わらず現在時制が用いられる．ただし動作動詞が
現在進行中である場合には補助動詞構文も現れる．トゥバ語の進行表現では，
動詞の意味に関わらず接語=*tur* を含む構文が用いられる．ただし感情動詞と
思考動詞では，接辞化した-*dir* を含む間接証拠性形式も現れる．キルギス語
の進行表現では，動詞の意味に関わらず補助動詞構文が用いられる．ただし
状態動詞では，現在時制も現れる．3 言語に共通して，移動動詞の場合には
デフォルトの構文とは異なる表現形式により現在移動中であることを表す．

［表 4］　動詞の意味的分類と進行表現

	サハ語	トゥバ語	キルギス語
動作動詞	現在 / AUX 構文	接語=*tur*	AUX 構文
状態動詞	現在	接語=*tur*	現在 / AUX 構文
感情動詞	現在	接語=*tur* / 接辞-*dir*	AUX 構文
思考動詞	現在 / AUX 構文	接語=*tur* / 接辞-*dir*	AUX 構文
発言動詞	現在	接語=*tur*	現在 / AUX 構文
移動動詞	非典型的 AUX 構文	特殊な AUX 構文	非典型的 AUX 構文

　先行研究には，時制体系ないしアスペクト体系全般を扱う中で進行表現に
触れているもの（例えば Johanson (2021: 638-650) や Xaritonov (1960)），補助
動詞構文を詳しく取り上げるもの（例えば Anderson (2004)）はある．加えて

文法書や辞書でも，個々の補助動詞の用法を詳しく取り上げるものがある．しかしながら，動詞の意味にも着目しながらチュルク語内の相違点を対照したものはない．

　個別言語の記述でも，サハ語に関する江畑 (2020) を含め詳細な検討を行っているものはない．Buder (1989: 20) はサハ語の現在時制の形式を *einziger Präsensform*「唯一の現在形」と呼び，これが現在進行中の出来事にも用いられうることを指摘している．さらに "Das Jakutische kennt also keinen formalen Unterschied zwischen aktuellem und generellem Präsens." (Buder 1989: 22)「ヤクート語は目下の現在と一般的現在の間の形式的な違いを知らない」のような記述も見られる．これはサハ語の現在時制が現在進行から未来予定までの幅広い範囲をカバーしうる事実に合致はするが，やはり動詞の種別を考慮していない．本稿での結果を基礎資料としつつ，動詞の種別による進行表現の違いに関してさらに細かく検討する必要がある．

略号

ABL: 奪格, ACC: 対格, ALL: 向格, AOR: アオリスト, AUX: 補助動詞, CLT: 接語, CVB: 連結副動詞, DAT: 与格, EVID: 証拠性, FUT: 未来, GEN: 属格, HON: 尊敬, INST: 具格, LOC: 処格, NEG: 否定, N.PST: 近過去, ONOM: オノマトペ, PL: 複数, PLN: 地名, POSS: 所有接辞 , PROP: proprietive, PRS: 現在, PSN: 人名, PST: （遠）過去, QUOT: 引用標識, SEQ: 継起副動詞, SG: 単数, SML: 同時副動詞, VN: 動名詞, VOL: 願望, WHQ: 疑問詞疑問

参考文献

Anderson, Gregory D. S. (2004) *Auxiliary verb constructions in Altai-Sayan Turkic.* Wiesbaden: Harrassowitz.

Buder, Anja. (1989) *Aspekto-temporale Kategorien im Jakutischen.* Wiesbaden: Harrassowitz.

Isxakov, F.G. and A.A. Pal'mbax. (1961) *Grammatika tuvinskogo jazyka. Fonetika i morfologija.* Moskva: Vostočnoj Literatury.

Johanson, Lars. (2021) *Turkic*. Cambridge: Cambridge University Press.

Xaritonov, L.N. (1960) *Formy glagol'nogo vida v jakutskom jazyke*. Moskva/ Leningrad: Nauka.

アクマタリエワ ジャクシルク (2014) 『キルギス語の〈持続〉を表わす補助動詞 ―jat-、tur-、otur-、jür- を中心に―』 東京外国語大学博士論文.

江畑 冬生 (2020) 『サハ語文法： 統語的派生と言語類型論的特異性』 勉誠出版.

江畑 冬生・Akmatalieva Jakshylyk (2022) 『サハ語・トゥバ語・キルギス語の文法対照』 新潟大学人文学部・アジア連携研究センター.

風間 伸次郎・アクマタリエワ ジャクシルク (2021) 「キルギス語：特集補遺データ「受動表現」「他動性」「連用修飾構文」「情報構造と名詞述語文」「情報構造の諸要素」「否定、形容詞と連体修飾構文」「所有・存在表現」」『語学研究所論集』第 26 号, 649-697.

中嶋 善輝 (2008) 『トゥヴァ語基礎例文 1,500』 東京外国語大学アジア・アフリカ言語文化研究所.

ユーラシアセンター（編）(2001) 『キルギス語入門』 ベスト社.

進行相マーカーの類型から
アスペクトというカテゴリー全体の類型へ
From the typology of progressive markers
to the typology of the entire category of aspects

張麟声（アモイ大学嘉庚学院）
Linsheng ZHANG (Xiamen University Tan Kah Kee College)

要　旨
　本稿では、まず世界の言語におけるアスペクト類型論の構築に関する Comrie(1976) の功績を大々的に評価し、その学説が今でもアスペクト類型論研究の最前線にあることを述べる。それから、Comrie(1976) の書き方の一部に感じられる不十分さを 2 点指摘したうえで、長年埋もれてきた寺村(1984)のアスペクト論を掘り出し、その捉える「既然」の「た」＋「ている」と「未然」の「る」という図式は、世界の言語に見られる realis/irrealis というアスペクト類型の具現として、ロシア語の perfective/imperfective 型、英語の progressive/nonprogressive 型に対峙するものだと主張する。そして、realis/irrealis 型アスペクトの内部構造は次の通りだと述べた。

表(1)　realis/irrealis 型アスペクトの内部構造

	Realis	Irrealis
Punctual	「た」	「る」
Durative	progressive の「ている」 nonprogressive の「ている」	

キーワード： perfective, imperfective, progressive, realis, irrealis

1 はじめに

　アスペクトに関わる日本語、中国語、英語の形がそれぞれ違うことから、たとえそれが一部であろうと、3言語のアスペクトの体系は互いに異なるのではないかという直感から出発し、先行研究を手当たり次第に読んだ。その結果、Bybee et al.(1994)における進行相マーカーの語彙的ソースの研究に興味を覚え、まずは日本語、中国語、英語の3言語を観察したが、その後徐々に対象言語をモンゴル語族言語、チュルク語族言語、漢・チベット語族言語、インド・ヨーロッパ語族のインド・イラン語派、スラブ語派言語に広げ、Stassen, L. (2013)における　split-language 対 share-language という概念を生かして、進行相マーカーの語彙的ソースを研究するのに役立つ、以下のような言語のタイプを提案した。

① single split-language（一重分裂言語）：日本語など。
② double split-language（二重分裂言語）：中国語など。
③ overt share-language（明示的シェア言語）：英語など。
④ transitive 対 intransitive prominent covert intransitive type share-language（transitive 対 intransitive 卓越非明示的シェア言語）：トルコ語など。
⑤ perfective 対 imperfective prominent covert share-Language（完結対非完結卓越非明示的シェア言語）：ロシア語など。

（張麟声 2022：37）

　こういった5タイプの言語は、進行相が生起しているかどうかによって、まず生起していない⑤と生起している①〜④とに分かれ、①〜④は、さらに進行相マーカーと所在述語文との関係によって、二分されていく。つまり、①〜③は、その所在述語文、存在述語文及び名詞述語文という3者間の述語動詞の異同により、3タイプに分かれるものの、所在述語文に用いられている動詞が進行相マーカーと同形であるという意味において一致を見せるのに対して、④では、そもそも所在述語文に動詞が用いられておらず、そのためか、進行相マーカーは、語源的に「歩く」の意を持つ動詞が務めていること

が分かった。このような事実、及び筆者の思索を踏まえて、以下のような仮説を打ち出した。

　所在述語文において，動詞が明示的に用いられる言語であれば，その動詞が文法化して進行相を作り上げ，明示的に用いられない言語で，進行相を作り上げる需要が出てくると，所在述語文に用いられる動詞の代わりに，移動述語文に用いられる動詞が文法化していく。

（張麟声 2022a：43）

　その後、目をオーストロネシア語族言語に向けはじめ、仮説の検証を、ひとまず Formosan languages のうちの、記述が進んでいる 10 言語のデータを用いて行った。そして、次のように、仮説を微調整することになった。

　所在述語文において，動詞が明示的に用いられる言語であれば，その動詞が文法化して進行相を作り上げる。一方，明示的に用いられない言語で，進行相を作り上げる需要が出てくると，所在述語文に用いられる動詞の代わりに，移動述語文に用いられる動詞や，republication などの手段が活用されることになる。

（張麟声 2022b：？）

　微調整はしたものの、仮説の大枠は保持されている。その大枠を一言で言えば、次のように、進行相マーカーの起源に関して、世界の言語をまず一次的に 2 つの類型に分けるという主張である。
　(1)　所在述語文に動詞が用いられている言語では、その動詞が言語の進行相マーカーに文法化—していく；
　(2)　所在述語文に動詞が用いられていない言語では、別の代替手段が講じられる。

　そして、これまではユーラシアの言語を中心に観察してきたために、今後、約 2 年間を掛けて、アフリカ、大洋州、南米、北米における記述が整ってい

る代表的な言語の文法書を読んでは、仮説の検証、改善を行っていく計画を立てている。と同時に、アスペクト研究チームの研究目標を確立するためにも、世界の言語におけるアスペクトの全体像について、まず個人のレベルで展望しておく必要を感じはじめた。その全体像に関する現在の思索を書き留めておくのが本稿である。

　以下、第2節では、アスペクトにおける類型論研究史における Comrie (1976) の功績を讃え、アスペクトにおける類型論研究の最前線の事情を述べる。第3節では Comrie (1976) における負の要素をいくつか指摘する。第4節では日本語から出発したアスペクトに関する類型を提案する。そして、第5節をまとめとする。

2　アスペクト類型論の研究史における Comrie (1976) の位置づけ

　Comrie (1976) は、その preface にあるように、著者自身は一般言語学の立場から書いているつもりのようで、また、読者も今日までおおむねそのように読んできていると思われる。その読まれる過程で特筆すべきことが一件ある。出版から 4 年あまり経って公開された中沢(1980)という書評である。すでに 40 年以上経過しているにもかかわらず、読んでいて深い感激を覚えられる書評であり、そのまとめの部分を引用して示す。

　序論の記述は選択的にならざるを得ないが、その選択が必ずしも適当でない（法の記述の欠如など），Aspect を構成する意味，意味グループの相互の関係がはっきり規定されていない，Aspect の定義から矛盾なく各々の意味が導かれていず，直感に頼ることが多い、といった問題がみられる。それに記述が特定の印欧語に偏っていることにも問題がある。しかし、Aspect の概念とその形態とが現実の言語の中で単なる定義からは想像もできない様相をみせることを実例を示しながら解明を試みていることや、特に完了 Aspect と継続の意味、完了 Aspect と現在の時制といった、定義と定義の境界の問題から本質を探る方法の有効性を示したこと、言語を機能の体系とみて、それを、動詞よりは文、単なる文よりは、ある環境の中の文（＝状況）で分析しようとした点、特に状況の分析を Aspect の意味分析に積極的に用いていることなどは、

示唆に富み興味深いといえよう。本書の意味もその点にあるのではないだろうか。 （中沢英彦 1980:313）

「Aspect を構成する意味，意味グループの相互の関係がはっきり規定されていない，Aspect の定義から矛盾なく各々の意味が導かれていず，直感に頼ることが多い」という批判にうなづけるところは多いが、この立場から私見を加えるのは第 3 節で行う。その前に、アスペクトに関する類型論研究史における Comrie (1976) の功績をまずは高く評価しておかなければならないと思うからである。

Comrie (1976) では、その preface における次の文言の通り、数多くの言語に言及されている。

English, as the language that all readers of the book will have in common; Russian and other Slavonic languages, in view of the importance of data from these language in the development of the study of aspect, and also as there are the foreign languages most familiar to the author; the Romance language (in particular, French and Spanish); as well as a variety of other languages, ranging from Greek to Chinese.

(Comrie 1976:vii)

しかし、筆者が評価したいのは、その言及した言語の数が多いということではなく、英語対ロシア語をはじめとする多数の言語という二分法でアスペクトの類型論をいち早く唱えだしたことである。著者は自分自身の専攻言語であるロシア語の事実から出発して、Perfective 対 imperfective というアスペクトのタイプを 1 つ立てるが、そのタイプに英語を除くすべての言語が当てはまるものの、英語はそうではないとしっかり述べているのである。

Comrie (1976) に対するこのような読み方はあまり見かけないので、以下原文を 3 点ほど引用して、私の主張が間違っていないことを立証していく。

1 点目の引用は Introduction の 0.1 の Definition of aspect の一部で、以下のように、5 言語の用例とそれに関する説明、そして、説明に関する脚注の 3 である。アスペクトとテンスとの違いを説き、perfective aspect という枠組みを築き上げる段階での論述である。

173

English: John was reading when I entered.

Russian: Ivan čital,kogda ja vošel.

French : Jean lisait quand j'entrai.

Spanish: Juan leía cuando entré.

Italian: Gianni leggeva quando entrai.

In each of these sentences, the first verb presents the background to some event while that event itself is introduced by the second verb. The second verb presents the totality of the situation referred to (here, my entry) without reference to its internal temporal constituency: the beginning, middle, and end rolled into one; no attempt is made to divide this situation up into the various individual phases that make up the action of entry. Verbal forms with this meaning will be said to have perfective meaning, and where the language in question has special verbal forms to indicate this, we shall say that it has perfective aspect.[3]

[3] Of the five languages cited here, all but English have perfective aspect in this sense. In English the relation between the Progressive (e.g. *was reading*) and non-Progressive (e.g. entered) is rather more complex, but provided we restrict ourselves nonstative verbs and exclude habitual meaning, then the difference between the two forms is one of imperfectivity versus perfectivity.

Comrie (1976:3-4)

　引用の中で一番重要な部分は注 3 で、限定された条件での英語の 2 種類の動詞の違いは imperfectivity versus perfectivity を表しているとし、英語はほかの言語と違い、perfective aspect を持っていないと明言しているくだりである。

　2 点目の引用は、次のように、同じ Introduction の中の、今度は 0.2.Meaning and form の中の一節である。

Clearly, in any discussion of aspect, preference will be given to examples form languages where aspect exist as a grammatical category, since such languages provides the clearest examples with which to work, even in discussions of the semantic distinctions underlying these grammatical categories. Thus in discussion perfective and imperfective meaning, the easiest examples to work with are from, for instance, Russian and Spanish (in Spanish, in the past tense only), rather than from, say, English, where the particular opposition has not been grammaticalised, and where the particular opposition that has been grammaticalised, namely that between progressive and nonprogressive meaning, is comparable to the imperfective/perfective distinction only in relation to a limited set of verbs (nonstative verbs), and then only if habitual meaning is excluded.   Comrie (1976:7)

　ここですでに英語とロシア語のアスペクトの違いが明確に指摘されている が、以下の 3 点目の引用では、さらにまとまった形で両言語の相違が提示さ れている。なお、この 3 点目の引用は、A.2. Aspectual systems of individual languages の中の英語とロシア語に関する部分である。

A.2.1 *English*

　　　English has two aspectual oppositions that pervade the whole of the verbal system, that between Progressive (verb *to be* and verbal form in *-ing*) and non-Progressive, and that between Perfect (verb *to have* and Past Participle) and non-Perfect. With nonstative verbs the difference between Progressive and non-Progressive is in general that between progressive and non-progressive meaning. However, this formal opposition is also found with stative verbs, in English, as opposed to many other languages with a similar opposition, and here the meaning distinction is usually that between a temporally unrestricted state (non-Progressive). The difference between Perfect and non-Perfect is that between perfect meaning and nonperfect meaning, although the Pluperfect and Future Perfect can also indicate relative time reference. (Comrie 1976:124)

A.2.2 *Slavonic*

A.2.2.1 *Russian*

There is an aspectual opposition between Perfective and Imperfective. In general, simple verbs are Imperfective (e.g. *pisat'* 'write'); prefixed derivatives of simple verbs are Perfective (e.g. *napisat'* 'write', *vypisat'* 'copy out'); and suffixed derivatives of Perfective verbs are again Imperfective (e.g. *vypisyvat'* 'copy out').

The aspectual opposition exists in the Past Tense. In the non-past, there is a distinction in the Imperfective between Present and Future, the latter a periphrastic formation using *budu* with the Infinitive. There is only one non-Past Perfective form, which usually has future time reference, and is traditionally called the Perfective Future. (Comrie 1976:125)

以上、原文を3点引用して、筆者の読み方に一理あることを述べたが、引き続き強調しておきたいのは、Comrie (1976) におけるこのような二分法は、Östen Dahl and Viveka Velupilla (2005)、及びその 2013 の改訂バージョンを通して、しっかり受け継がれ、現今のアスペクトにおける類型論研究の主流を形成しているということである。

Östen Dahl and Viveka Velupilla (2005＝2013)では、222 言語が Grammatical marking of perfective/imperfective distinction 対 No grammatical marking of perfective/imperfective distinction という Value によって二分されているが、その中で、英語は No grammatical marking of perfective/imperfective distinction に入れられているのに対して、ロシア語をはじめとするその他の言語は、すべて Grammatical marking of perfective/imperfective distinction に振り分けられているのである。

Östen Dahl and Viveka Velupilla (2005＝2013)にとどまらず、Robert I. Binnick (eds.)(2012)も、基本的に Comrie(1976)の学説を受け継いでいると考えられる。その 26. Verbal Aspect の 3. Grammatical Aspect from A Cross-Linguistic Perspective において、

3.1 Perfective/Imperfective Aspect: Observations from Russian,

3.2 Perfective/Imperfective contrast: Observations from French,

3.3 Progressive and Perfect: Observations from English,

3.4 Multiple Aspectual Distinctions: Observations from Mandarin Chinese

の4タイプのことが述べられているが、分析をある程度丁寧にしただけで、大筋は Comrie(1976) の類型論と変わらない。

また、視点が一見違う Alan Timberlake(2007)というのがあるが、世界の言語のアスペクトを four operators によってとらえることができると主張するのはいいものの、その four operators である perfect、progressive、perfective、iterative のいずれも Comrie(1976) で議論されていた概念だけであって、結果的には Comrie(1976) の枠組みから大きく離れたことにならない。

以上述べたことをまとめると、Comrie(1976) はアスペクトにおける類型論研究の嚆矢であり、その立てたアスペクトの類型の大枠は、40 年余り経過しても、依然として研究の最前線を走っているというのが筆者の認識である。

筆者の認識を示したところで、この節も終わりとなるが、せっかく上述の four operators が登場しているので、そのおのおのに関する本稿の取り扱い方を以下簡単に記しておきたい。

まず、perfect についてだが、以下の Comrie(1976) における文言が表しているように、たとえアスペクトに含めることができるにしても、あくまで周辺的な現象である。したがって、本稿では、これを研究対象としない。

Traditionally, in works that make a distinction between tense and aspect, the perfect has usually, but not always, been considered an aspect, although it is doubtful whether the definition of aspect given above can be interpreted to include the perfect as an aspect. However, the perfect is equally not just a tense, since it differs in meaning from the various tense forms. (Comrie 1976:6)

それから、iterative 及びそれに近い概念である habitual も、特定の空間、時

間において生起する一回的な出来事を表すのではないという意味で、perfect よりも一段と周辺的なものである。そのために、本稿では、こういった iterative や habitual も取り扱わないことにする。まとめていうと、本稿の研究対象は、 four operators のうちの progressive と perfective の 2 つであり、前述の Östen Dahl and Viveka Velupilla (2005＝2013)や Robert I. Binnick(eds.) (2012)と同じ立場である。

3 Comrie (1976) における定義の不十分さ 2 点について

　この節では、上述の中沢(1980) における「Aspect を構成する意味，意味グループの相互の関係がはっきり規定されていない，Aspect の定義から矛盾なく各々の意味が導かれていず，直感に頼ることが多い」という批判の延長線に立ち、2 点ほど、筆者が感じた Comrie (1976) の定義の不十分さについて述べる。

3-1　Perfective/Imperfective の定義：

　タイトルが Perfective and imperfective であることが象徴しているように、 perfective/imperfective について論じるのが Comrie(1976) の第 1 章の中心テーマだが、この第 1 章における perfective と imperfective という概念の定義さえ、読者が読み取りやすい形で施されているとは言えない。

　以下の引用で分かるように、そこでは、perfectivity 対 imperfectivity というように意味からではなく、perfective 対 imperfective というように形からでもなく、なんと perfectivity 対 imperfective というように、前の片方が意味、後の片方は形というアンバランスなやりかたで、取り上げられているのである。

Ⅰ.0　The distinction between perfectivity and imperfectivity has already been outlined in section 0. Ⅰ : perfectivity indicates the view of a situation as a single whole, without distinction of the various separate phases that make up that situation; while the imperfective pays essential attention to the internal structure of the situation.

最初の文言が The distinction between perfectivity and imperfectivity has already been outlined in section 0.1 となっているので、あえて、上で一度引用した section 0.1 のなかの一部をまとめて次のように再掲して議論する。

In each of there sentences, the first verb presents the background to some event while that event itself is introduced by the second verb. The second verb presents the totality of the situation referred to (here, my entry) without reference to its internal temporal constituency: the beginning, middle, and end rolled into one; no attempt is made to divide this situation up into the various individual phases that make up the action of entry. Verbal forms with this meaning will be said to have perfective meaning, and where the language in question has special verbal forms to indicate this, we shall say that it has perfective aspect.[3]

[3] Of the five languages cited here, all but English have perfective aspect in this sense. In English the relation between the Progressive (e.g. *was reading*) and non-Progressive (e.g. entered) is rather more complex, but provided we restrict ourselves nonstative verbs and exclude habitual meaning, then the difference between the two forms is one of imperfectivity versus perfectivity.　　　　　　　（再掲）

この 0.1 では、perfective meaning という言い方しか用いられていないが、おそらく上述の第 1 章で登場した perfectivity に当たるであろう。そして、「where the language in question has special verbal forms to indicate this, we shall say that it has perfective aspect」の部分は、言語が perfective aspect を持つ条件を論じており、その条件とは「has special verbal forms to indicate this」ということである。つまり、ロシア語は「has special verbal forms to indicate this」だからこそ、perfective/imperfective アスペクト体系を持っていると主張することができ、一方、英語は「special verbal forms to indicate this」を持っていないのだか

ら、perfective/imperfective というアスペクトのタイプには当てはまらないと主張することができるということである。

　より厳密にいえば、perfective と imperfective は、perfectivity と imperfectivity を表しわける特殊な動詞のシステムを持つ一部の言語にしか存在しえないアスペクトのタイプであり、例えば、ロシア語におけるその特殊な動詞のシステムとは、In general, simple verbs are Imperfective (e.g. *pisat'* 'write'); prefixed derivatives of simple verbs are Perfective (e.g. *napisat'* 'write', *vypisat'* 'copy out'); and suffixed derivatives of Perfective verbs are again Imperfective (e.g. *vypisyvat'* 'copy out')ということである。

　だとすれば、肝心な第 1 章において、こういった必須条件について一切述べないで、定義をただ「perfectivity indicates the view of a situation as a single whole, without distinction of the various separate phases that make up that situation; while the imperfective pays essential attention to the internal structure of the situation.」というようにしただけでは、読者が誤読しても仕方がなかろう。

　例えば、日本国内では、長い間、工藤真由美(1995)のように、日本語の「スル/シタ」対「シテイル/シテイタ」の対立を「完成相」対「継続相」という形で取り扱ってきているが、もし、その「完成相」と「継続相」がそれぞれ perfective と imperfective に比定して作られた概念ならば、Comrie (1976) におけるこのような定義のあいまいさと無関係ではなかろう。

　その日本語は、Comrie (1976)では取り上げていないが、実は、前述の Östen Dahl and Viveka Velupilla (2005 ＝ 2013) では、No grammatical marking of perfective/imperfective distinction の言語だとされており、つまり perfective/Imperfective というアスペクトを持っていないと考えられているのである。もっとも、日本国内でも、「スル/シタ」対「シテイル/シテイタ」の対立を「完成相」対「継続相」とするという記述の仕方は、すでに須田(2010)によって克服されているように思われる。須田(2010)では、それがたいへん合理的に「非継続相」対「継続相」と呼ばれているのである(須田 2010:50)。

3-2 nonprogressive の定義：

Comrie (1976:25)に、以下のような Table I が掲げられている。

Table I. *Classification of aspectual oppositions*

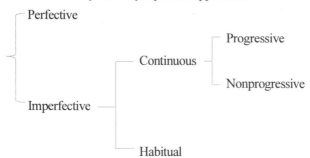

この Table I における Nonprogressive については、当該著書に定義が一切なく、またその形が Index にさえ挙げられていないようである。

Continuous の下位分類として、progressive と並べられていることから、日本語の分かる研究者は、日本語の結果存続の「〜ている」のようなものではないかと考えても不思議ではないと思うだろうが、以下のような叙述を読むと、英語の動詞の非 be 〜ing 形を指しているのではないかと思われてくる。

Since progressiveness has not yet been dealt with in detail We may restrict ourselves for the moment to the following type of contrast between Progressive and non-Progressive, taking initially sentences in the Future Tense, where there is no special habitual form: (a) when I visit John, he'll recite his latest poems; (b) when I visit John, he'll be reciting his latest poems. In the (a) sentence, with the non-Progressive verb *will recite* in the main clause, the implication is that John's recital will occur after my arrival at his house, whereas in the (b)sentence the implication is that his recital will have started before my arrival, and will continue for at least part of the time that I am there. (Comrie 1976:30)

この叙述において、*will recite* が non-Progressive verb とされているのは、*will recite* が e 〜ing 形ではないことから、分からなくはない。しかし、なぜ *recite*

181

をContinuousと見なければならないかということになると、さすがに定義が
ないために、困ってしまう読者がたくさんいてもおかしくない。

　著書の大きく離れたページにある以下の2点の引用を合わせて読むと、英
語の非be ~ing 形動詞の一部は perfectivity を表すとして上述の Table I の中の
perfective に含め、残る一部は Continuous の下位分類の nonprogressive にして
いるのだというように、一生懸命理解に務めることはまったく不可能ではな
い。

In English the relation between the Progressive (e.g. *was reading*) and non-Progressive
(e.g. entered) is rather more complex, but provided we restrict ourselves nonstative
verbs and exclude habitual meaning, then the difference between the two forms is one
of imperfectivity versus perfectivity.　　　　　(Comrie (1976:3-4) 再掲)
The following languages all have a general imperfective form, which thus corresponds
to both Habitual and Progressive (as well as non-Progressive forms that do not have
perfective meaning) in English; ・・・　　　　　　(Comrie 1976:26)

　つまり、英語の nonstative verbs の non-Progressive＝非 be ~ing 形は、
perfectivity=perfective meaning を表すため、perfective に該当するとされ、一方、
stative verbs の non-Progressive＝非 be ~ing 形は、 perfectivity=perfective meaning
を表さないため、Continuous の下位分類である nonprogressive に該当するとさ
れている、というように、理解に務めることは可能である。しかし、それに
しても、*recite* をなぜ stative verbs と見なさなければならないのかという謎は
依然として解けるものではない。

　このような (Comrie 1976) に対する筆者の批判は、すべて筆者の読解力の
低さに起因するのかもしれない。しかし、読解力の低い読者の誤解、誤読の
余地も残さないような書き方がされていれば、上述の中沢(1980)における
「Aspect を構成する意味, 意味グループの相互の関係がはっきり規定されて
いない, Aspect の定義から矛盾なく各々の意味が導かれていず, 直感に頼る
ことが多い」という批評はなされることがなかろう。

ちなみに、nonprogressive という概念を、以下の第 4 節では、日本語の結果
存続の「ている」を表わすものとして生かしていくことにする。

4　日本語から出発する筆者のアスペクト類型論

　この第 4 節では、日本語から出発する筆者のアスペクトの類型論を披露す
る。Comrie (1976) 以来の perfective/imperfective かそうでないかという二分法
に対して、筆者は少なくとも、ロシア語のような言語の perfective/imperfective
型、英語のような言語の progressive/nonprogressive 型、及び日本語のような言
語の realis/irrealis 型の 3 型を立てるつもりでいる。そして、本稿では、主に
日本語のアスペクトは realis/irrealis 型だと主張する。

　言うまでもないことだが、勝手に主張しているつもりではなく、形によっ
て判断するという Comrie (1976) の堅実な研究手法を学んでの試みである。
Comrie は、ロシア語の「every verb in the lexicon is labeled as perfective or
imperfective」(Robert I. Binnick.eds.2012:756)という言語事実を見て、ロシア語
は perfective/imperfective アスペクトを持つとし、英語の I have read this book 及
び I am reading this book を見て、英語は has two aspectual oppositions that pervade
the whole of the verbal system, that between Progressive (verb *to be* and verbal form
in *-ing*) and non-Progressive, and that between Perfect(verb *to have* and Past Participle)
and non-Perfect. と主張している。これに対して、筆者は日本語のアスペクト
に関わる形は「た」と「ている」の 2 つとしている。したがって、日本語の
ような言語のアスペクトは realis/irrealis 型だと主張するのである。

　realis/irrealis はムードではないかと言われそうだが、これについては同じこ
の特集の張麟声(2022b)ですでにムードではない理由が述べてあるので、ご参
照いただきたい。また、「た」は過去形ではないかという声も聞こえてきそ
うだが、これについては、まず以下の寺村(1984)の該当の論述を読んでいただ
きたい。

　日本語のアスペクトについて、寺村(1984)では、まず一次的アスペクト―ス
ル(未然)とシタ(既然)と二次的アスペクト―テ形に後接する補助動詞とに分
けられ、その「4.1　一次的アスペクト―スル(未然)とシタ(既然)」においてア
スペクトの「た」については、以下のように述べられている。

動的述語の過去形が，

（2）市長ハ目黒ノホテルニ泊マッタ。

（3）ユウベ盆踊リガアリマシタ。

のように、過去の事実を表す場合があることは、先に 3.2.3 で見たとおりであるが、過去形にはまた、次のように、過去の事実を表すとは言いがたい使いかたがある。

（4）老人は近寄って来て、私の頭へ手をやり、

「大きくなった」と云った。

（5）「勝負はついたよ」父は亢奮した妙な笑い声で云った。

「まだだ」とわたしは云った。

（6）襖の外で、

「ちょっと本を貰いに来ました」と声をかけて、「塚原卜伝は戸棚ですか」と云った。

（7）「もう解ったよ。何遍繰返したって同じことだ」

（8）「船はもう決まったのかい？」しばらくして謙作が沈黙を破った。

「十一月十二日の船にした」

「支度はもうできたのかい」

「別に大した支度もないからね。（後略）」

上はいずれも志賀直哉の「暗夜行路」からとったものだが、ごく日常的な表現だといってよいだろう。下線部の〜シタという形のもつ意味が、先の（2）（3）のような〜シタという形の場合と同じではないことは、日本人なら誰でも直感するのではないかと思われる。それは、（2）（3）の〜シタが、現在から切りはなされた、過ぎ去った点として捉えた言いかたであるのに対して、（4）〜（8）では、現在の事態が問題になっているという違いだといえるだろう。「現在の事態」といっても、たんに、子どもに、

（9）大キイネ。

と言うのともまた違う。（9）は眼に映じた現在の状態についての印象を言っているにすぎないが、（4）は、「大きくなる」という事態がある過去から現在に至る幅をもつものとして意識され、現在をその幅の端にあるものと

して、つまり、そのことが実現した、ということを表している。このように、ある時点において、ある（幅をもつ）事態が既に実現した、ということを表わすことを「既然」と呼ぶことにする。既然は、事態の発生、開始と、終了、完了の両方を含む。これに対する基本形の

　（10）コノ子ハ今ニ大キクナル

　（11）市長ハ間モナク到着シマス

のような使いかたを、（現在における）「未然」を表わす用法であるということにする。既然・未然は、ある幅をもつ事態を背景として、あることの実現・未実現を問題にするのであって、点としての事態の前後関係を問題にするテンスとは異質のものである。　　　　　　　　　　寺村 1984：119〜120）

　つまり、寺村(1984) では、テンスの「た」とは別の形で、既然を表すアスペクトの「た」の存在を認めているが、この学説に筆者は賛同する立場に立つ。現代日本語では、何らかの理由による言語変化の結果として、既然を表すアスペクトの「た」と過去を表すテンスの「た」とがたまたま同形になっているが、古代日本語では、以下の鈴木(2014)で述べられているように、既然を表すアスペクトの「た」に対応するのはツ・ヌで、過去を表すテンスの「た」に対応するのはキであり、完全に別々である。

　スルのような動詞だけのもの（はだかの形）も、シタのような助動詞のついたものも、また、シテイルのような補助動詞と組み合わさったものも、時間的意味をめぐって相互に交代する動詞の語形であるとする（形態論的）立場に立つなら、古代日本語の時間表現のパラダイムは表1のようになる。

表1　古代日本語の時間表現のパラダイム

	テンス	
アスペクト	非過去形	過去形
完成相	ツ・ヌ	テキ・ニキ
不完成相	はだか	キ
パーフェクト	タリ・リ	タリキ・リキ

アスペクトの点では、ツ・ヌ形が運動の全体を非分割的に表す完成相であるのに対して、はだかの形は運動がまだ完成途上にあることを表わす不完成相である。この二つが基準時点（基本的には発話時）と同時の運動の在り方を表しているのに対して、タリ・リ形は、運動の完成とその後の結果を表し、それらと広い意味のパーフェクトとして対立している。以上の三者をテンスとして非過去を表すものとすると、単独のキ形も、複合的なテキ形、ニキ形、タリキ形、リキ形などの形も接辞キを持つ形はテンス的に過去を表わす。

(鈴木 2014:12)

　もっとも、この鈴木(2014)では、古代日本語の言語事実をたいへん明晰に示しているために、一読者としてたいへん助かっている。一方、術語として、その完成相と継続相がもし perfective/imperfective に比例して使っているのならば、完成相の序列の中に不完成相を立てるのは、論理的に問題はないだろうか。上述の須田(2010)のように、日本語のアスペクトは完全に perfective/imperfective に当たるのではないということで、完成相を非継続相と呼び直していることを踏まえて、非継続相における「完成相対不完成相」という図式を立てるのならば、論理的な問題はなくなる。しかし、そうすると、「完成相」の指示対象は従来の学界の使い方と大きく違ってくるので、混乱をきたしてしまうであろう。

　以上述べてきたことを踏まえ、アスペクトにおける「る」と「た」の対立について、本稿では、寺村(1984)の「未然」と「既然」という術語を踏襲し、さらに、これに英語の irrealis と realis を宛てていくが、そのような術語の話をする前に、まず、もう一つの形である「ている」を押さえておきたい。

　「ている」に基本的な意味が2つあるということについては、学界で特に意見が分かれているのではない。パーフェクトという概念を導入して、現代日本語のアスペクト・テンスシステムをきめ細かく記述している工藤(1995)では、継続性の2つのバリアントである「動作継続」、「結果継続」と称して認められている。そして、テイルの意味を(a)~(e)の5つに分けて記述されている寺村(1984)では、(a)と(b)を基本的意味と見なし、以下のように分析されている。

本書では、上にあげた五つの用法のうち、最後の(e)は、〜テイルという形が動詞でありながら、形容詞と同様の働きを持っているものとして(vi)で別に考え、(a)〜(d)がアスペクトを表す用法とする。そしてそれらを通じて見られる〜テイルの中心的な意味は、「既然の結果が現在存在していること」である、と考える。つまり、あることが実現して、それが終わってしまわず、その結果が何らかの形で現在に存在している（残っている）、というのが〜テイルのアスペクト的意味の中心的な、一般的意味である。

　4.1 で見たように、既然には、事が既に始まっている場合と、事が既に終わっている場合がある。動詞が「（赤ン坊ガ）泣ク」「（モチヲ）ツク」「（雪ガ）降ル」「（鐘ガ）鳴ル」のように、本来時間的な幅を持つ動作、現象を表すものであるとき、その〜テイルは、その動作、現象が<u>始まって</u>、終わらずに今存在している、つまり開始の結果が今もある、という意味をもつのがふつうである。それが上の (a) の「継続」ということの意味で、「ふつう」というのは、その動詞とその主体、対象を表わすことば以外に、かくべつの文脈（副詞その他）や状況がなければ、聞き手はその意味に解釈するということである。

　これに対し、「死ヌ」「祭(リガ)始マル/終ワル」「落チル」のような、ふつう瞬間動詞とされるもの、つまり本来、始まると同時に終わるような現象を表す動詞の場合、〜テイルは、（当然）その現象が既に実現した、つまり終わってしまったが、その結果（痕跡）が物理的にあるいは心理的に、現在存在するということを表わす。これが上の (b) の意味である。

（寺村 1984:127）

　基本的な意味が２つであるというレベルでは、学界で意見の相違がなさそうだが、その基本的な意味をどう分析するかということになると、事情が違ってくる。上の引用の通り、寺村(1984) は「ている」の二つの中心的意味を「既然の結果が現在存在していること」だと主張し、そのような「ある時点において、ある（幅をもつ）事態が既に実現した、ということを」表す「た」を「既然」と呼び、基本形、つまり「る」形を「未然」と呼んで対立させて

いる。言い換えれば、寺村(1984)は、「既然」の「た」＋「ている」と「未然」の「る」との図式で現代日本語のアスペクトをとらえているのである。そして、この立場を筆者が踏襲し、世界の言語において、日本語のアスペクトはrealis(既然)/irrealis(未然)型というように主張して行きたいと思う。

上でふれたように、張麟声(2022b)において、亀井孝・河野六郎・千野栄一編著(1995)が、realis/realis のことを「既然法と未然法」と称していることに対して、「法 mood」の定義とは合わず、ある時間の基準点に立って、出来事が実現したかどうかを表現していることから、完全にアスペクトだと述べているが、 realis/irrealis というアスペクトのタイプの内部構造については、次のように考えている。

表(1) realis/irrealis 型アスペクトの内部構造

	Realis	Irrealis
Punctual	「た」	「る」
Durative	progressive の「ている」 nonprogressive の「ている」	

5　おわりに

本稿では、まず世界の言語におけるアスペクト類型論の構築に関するComrie(1976) の功績を大々的に評価し、その学説が今でもアスペクト類型論研究の最前線を行っていることを述べた。それから、Comrie(1976) の書き方の一部に感じられる不十分さを 2 点指摘したうえで、長年埋もれてきた寺村(1984)のアスペクト論を掘り出し、その捉える「既然」の「た」＋「ている」と「未然」の「る」という図式は、世界の言語に見られる realis/irrealis というアスペクト類型の具現として、ロシア語の perfective/imperfective 型、英語のprogressive/nonprogressive 型に対峙するものだと主張した。また、realis/irrealis型アスペクトの内部構造については表(1)示した。

論文の冒頭に述べたように、筆者のアスペクト研究はまず progressive のマーカーの語彙的性格から始まっているので、2025 年に予定されているアスペクトの特集においては、nonprogressive の「ている」の類型論を展開する。そ

の展開の過程において徐々に明らかになっていくが、現時点では、realis/irrealis 型アスペクトにおけるこの種の nonprogressive の「ている」の対応物に、perfective/imperfective 型では imperfective、そして progressive/nonprogressive 型ではコピュラ述語文が当たるのではないかと予測している。

参考文献：

亀井孝・河野六郎・千野栄一編著(1995)『言語学大辞典　第6巻　術語編』，三省堂

工藤真由美(1995)『アスペクト・テンス体系とテクスト―現代日本語の時間の表現 』，ひつじ書房

鈴木泰(2014)「アスペクト^{3}古代語」，日本語文法学会編『日本語文法辞典』，大修館書店

須田義治(2010)『現代日本語のアスペクト論―形態論的なカテゴリーと構文論的なカテゴリーの理論』，ひつじ書房

張麟声(2022a)「進行相の語彙的ソースの諸類型及び日本語タイプ」，大阪府立大学人間社会システム科学研究科人間社会学専攻言語文化学分野『言語文化学研究』,第17号，pp.29～44，2022年03月.

張麟声(2022b)「Formosan languages における進行相と所在述語文との相関関係について」，『言語の類型的特徴対照研究会論集』第5号，pp.1～24，2022年12月.

寺村秀夫(1984)『日本語のシンタクスと意味 II』，くろしお出版

中沢英彦(1980)「[Book review] Bernard Comrie, Aspect: An Introduction to the Study of Verbal Aspect and Related Problems, Cambridge, 1976. 142pp.」 東京外国語大学論集 : area and culture studies / （30）p307-313.

バーナード・コムリー著、山田小枝訳(1988)『アスペクト』，むぎ書房

Alan Timberlake (2007). Aspect, tense, mood. Shopen, T (ed). 2007.Language Typology and Syntactic Description Volume III : Grammatical Categories and the Lexicon. 2nd ed. Cambridge University Press.

Bickel, Balthasar (2007). Typology in the 21st century: major current developments. *Linguistic Typology*, 11:239-251.

Bybee,J. ,Perkins,R. ,and Pagliuca,W.(1994). *The evolution of grammar: Tense, aspect, and modality in the languages of the world*. Chicago: University of Chicago Press.

Östen Dahl and Viveka Velupillai. 2013. Perfective/Imperfective Aspect. In: Dryer, Matthew S. & Haspelmath, Martin (eds.) The World Atlas of Language Structures Online. Leipzig: Max Planck Institute for Evolutionary Anthropology. (Available online at http://wals.info/chapter/1, Accessed on 2022-07-17.)

Bickel, Balthasar and Nichols, Johanna. 2007. Inflectional Morphology. In Shopen, Timothy （ed.）, *Language Typology and Syntactic Description 3 Grammatical Categories and the Lexicon*. Cambridge: Cambridge University Press. （2nd edition）.

Comrie, Bernard. 1976. Aspect. Cambridge Textbooks in Linguistics. Cambridge: Cambridge University Press.

Gonda, J. (1954). Tense in Indonesian languages. Bijdragen tot de Taal- en Volken-kunde 110(3) (Martinus Nijhoff, 's-Gravenhage)

Haspelmath, Martin (eds.) (2013). The World Atlas of Language Structures. Leipzig: Max Planck Institute for Evolutionary Anthropology. Available at: https://wals.info/chapter/119. (Retrieved: October, 2021)

Haspelmath, Martin, Matthew S. Dryer, David Gil, Bernard Comrie (eds.) (2005). *The World Atlas of Language Structures*. New York: Oxford: Oxford Univ Pr.

Robert I. Binnick (eds.) (2012). *Tense and Aspect*. New York: Oxford: Oxford Univ Pr.

Shopen, T (ed). 2007.Language Typology and Syntactic Description Volume III : Grammatical Categories and the Lexicon. 2nd ed. Cambridge University Press.

Stassen, L. (1997). Intransitive Predication. Oxford: Clarendon Press.

Stassen, L. (2013). Chapter 119 Nominal and Locational Predication. Dryer, Matthew & Haspelmath, Martin (eds.) 2013.The World Atlas of Language Structures Online. Leipzig: Max Planck Institute for Evolutionary Anthropology.

研究発表応募規定

I 発表資格、発表内容、発表形態

1. 発表者は応募および発表の時点で会員でなければなりません。(研究発表の申し込みと同時に本研究会への入会も申し込めます。) 非会員も共同研究者としてプログラムに名前を載せることができますが、実際に発表を行うのは会員に限ります。

2. 発表内容は未発表の研究に限ります。発表テーマは「屈折・膠着・複統合・孤立」といった語形態に基づく言語類型から SOV の基本語順、さらに「主題」「受動構文」「使役構文」「名詞修飾節」など「構文」に関する、形態統語的観点や意味・語用論的観点、機能的観点からの研究で、広く諸言語の類型論的研究への貢献を目的とする研究とします。

3. 発表形態は口頭発表とし、使用言語は原則日本語とします。(持ち時間35分。うち発表20分、質疑応答15分)

II 応募要領および採否

4. 発表希望者は、次の①と②の書類(MSWord および PDF)を e-mail の添付ファイルで下記の大会委員長宛に送ってください。(応募後、締切りまでに受け取り確認の連絡がない場合は、再度大会委員長に連絡してください。)
① 「発表要旨」 A4用紙2枚以内(日本語の場合800字程度。英語の場合は500 word 程度。主要な参考文献(字数外)を含めてください。ただし個人が特定できる情報は記入しないこと。)
② 「個人情報」 A4用紙1枚(氏名、ヨミガナ、所属・身分、発表タイトル、電話番号、e-mail アドレス、使用機器の希望。)

5．発表要旨には、必ず結果・結論を盛り込んで下さい。「このような調査を行う予定である」というようなものは要旨とは呼べません。結論が出た研究のみ、応募することができます。また、個人の特定につながる情報（「拙著」など）は避けて下さい。

6．本文で言及した論文および発表に重要な関連を持つ先行研究などがある場合は発表要旨にその文献を挙げてください。上記に該当する文献がない場合は，要旨の最後に「引用文献なし」と明記してください。

文献を挙げる際には以下の情報を入れてください。
著者名，出版年，論文名，雑誌名／書名，号数，出版社名　　（例）教育花子
　　（2009）「英語のオノマトペ」『世界のオノマトペ』〇×出版

※ 応募者自身の論文であっても，発表の内容に関係する場合には引用してください。その際，次のような言及の仕方をすることによって，執筆者が特定されないようにしてください。
　（例）〇田中（2010）で｛述べられている／指摘されている｝ように，…
　　　　×田中（2010）で｛述べた／指摘した｝ように，…
　（「＜論文名＞で〜したように，」という表現は（執筆者が特定できるので）使わないでください。）
※ 応募時において公刊されている文献のみを挙げてください（応募時において「印刷中」「投稿中」などの文献は挙げないでください）。

7．採否は応募者名を伏せて大会委員会で審議し、その結果を大会委員長から応募者に e-mail で通知します。不採用の理由については照会に応じません。

8．採否通知の際に、大会委員会の判断で発表題目や内容について助言することもあります。

III 採用後から発表まで

9．採用後に各研究会の担当委員をお知らせしますので、担当委員と連絡を
　　取り合いながら発表の準備を進めてください。

10．本研究会では予稿集は作りませんので、各自レジュメを用意してきてく
　　ださい。50 部ほど必要です。

会誌投稿規定

Ⅰ　投稿資格、投稿論文の内容と形態

1．　投稿者は、投稿する時点で会員でなければならない。（投稿と同時に本研究会への入会を申し込むこともできる。）

2．　投稿論文の内容は、「屈折・膠着・複統合・孤立」などの形態法、SOVなどの基本語順、「主題」「受動構文」「使役構文」「名詞修飾節」などの構文を含めた、諸言語の類型論的研究への貢献を目的とする研究で、未発表原稿に限る。また編集委員が特集を企画し特集論文を募集することがある。

3．　投稿論文の使用言語は日本語または英語とする。論文の分量については、図表を含め 34 字×30 行で 20 ページ程度を目安とする。

Ⅱ　投稿の時期、方法及び宛先

4．　投稿は、1 年中受けつける。ただし、次号に掲載されるための締切は 8 月末日とする。

5．　投稿の方法は、e-mail 送信とし、e-mail の本文において、必ず会員であることを書き添える。また、投稿論文の規格は、以下のとおりである。

- ・用紙サイズ：A 5
- ・余白：上：16mm、下：13mm、右：17mm、左：17mm
- ・本文：34 字×30 行、明朝 10p
- ・タイトル：ゴシック 12p（英訳も必要）
- ・氏名：ゴシック 11p（名字と名前の間に 1 文字分の空白を入れる）
- ・「要旨」「キーワード」の文字：ゴシック 10.5p
- ・要旨、キーワードの本文：明朝 9p
- ・節の番号：0、1、2…（半角ゴシック 10.5p）
- ・節の下位番号：1.1、1.1.1…（半角ゴシック 10p）
- ・「参考文献」「引用文献」の文字：ゴシック 10.5p

・参考文献、引用文献の本文：明朝 10p

　　・注は脚注とし、明朝 9p とする

6．　投稿の宛先は、次のとおりである。また、件名の最初に「投稿原稿」
をつけること。

　　ebata@human.niigata-u.ac.jp　（江畑冬生のメールアドレス）

Ⅲ　投稿論文の審査

7．　投稿論文の採否は、編集委員の権限とする。

8．　審査結果は投稿論文を受理してから、3 か月以内に通知する。

編集後記

　『言語の類型的特徴対照研究会論集』第5号をお届けいたします．本号には，進行表現および関連する領域に関わる特集論文が9編収録されています．その中には，類義形式の対比や日本語との対照も交えながら個別言語の進行表現の記述をするもの，方言間であるいは同系言語内での対照を行うもの，文法化にも着目しながら進行表現の通時的変遷について扱うもの，さらには類型論的な議論と提案を行うものがあります．残念ながら，投稿論文はありませんでした．本論集の刊行は，以下のスケジュールにより行われました．

2022 年 6 月 30 日	エントリー
2022 年 8 月 15 日	投稿論文（査読有）締切
2022 年 8 月 31 日	特集論文締切
2022 年 11 月 15 日	刊行

　次号以降に関しても，同様のスケジュールにより原稿募集をしていく予定です．会員のみなさまの積極的な投稿をお待ちしております．

2022 年 11 月 4 日

会誌編集委員会委員長　　江畑 冬生

会誌編集委員会副委員長　　林 範彦

言語の類型的特徴対照研究会論集
第 5 号

2022 年 12 月 1 日　初版第 1 刷発行

編著者	言語の類型的特徴対照研究会
発行者	関　谷　一　雄
発行所	日中言語文化出版社
	〒531-0074 大阪市北区本庄東 2 丁目 13 番 21 号
	ＴＥＬ　０６（６４８５）２４０６
	ＦＡＸ　０６（６３７１）２３０３
印刷所	有限会社 扶桑印刷社